W9-CEA-576

Danielle Boulianne

Le remarquable héritage

Tome 3
de Bienvenue à Rocketville

Illustrations
Jessie Chrétien

Collection Œil-de-chat

Éditions du Phœnix

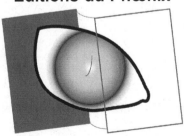

© **2012 Éditions du Phœnix**
Imprimé au Canada

Illustrations Jessie Chrétien
Graphisme de la couverture : Guadalupe Trejo
Graphisme de l'intérieur : Hélène Meunier
Révision linguistique : Hélène Bard

Éditions du Phoenix
206, rue Laurier
L'Île-Bizard (Montréal)
(Québec) Canada H9C 2W9
Tél.: 514 696-7381 Téléc.: 514 696-7685
www.editionsduphoenix.com

Catalogage avant publication de Bibliothèque et Archives
nationales du Québec et Bibliothèque et Archives Canada

Boulianne, Danielle
   Le remarquable héritage
   (Collection OEil-de-chat ; 34)
   "Bienvenue à Rocketville".
   Pour les jeunes de 9 ans et plus.

   ISBN 978-2-923425-61-0
   I. Chrétien, Jessie. II. Titre. III. Collection:
Collection OEil-de-chat ; 34.

PS8553.O845R45 2011 jC843'.6 C2011-942137-2
PS9553.O845R45 2011
Réimpression 2013

Nous remercions la SODEC de l'aide accordée à notre
programme de publication. Nous reconnaissons l'aide
financière du gouvernement du Canada par l'entremise du
Fonds du livre du Canada pour nos activités d'édition à
notre programme de publication.
Nous sollicitons également le Conseil des Arts du Canada.
Les Éditions du Phoenix bénéficient également du
Programme de crédit d'impôts pour l'édition de livres -
Gestion SODEC - du gouvernement du Québec.

Danielle Boulianne

Le remarquable héritage

Tome 3
de Bienvenue à Rocketville

Éditions du Phœnix

À mon père, Jean-Roch,
qui est tout un personnage !

Chapitre 1

Le cadeau
de grand-papa

Le jour J, c'est demain. À l'école, la grande sortie au Temple de la renommée du Canadien au centre Bell de Montréal semble le seul sujet de discussion de Zack et de ses amis.

Quelques semaines se sont écoulées depuis le tournoi pee-wee tenu à Rocketville en décembre dernier. Ce rude affrontement, rempli de rebondissements, opposa de fervents compétiteurs, et fut organisé et gagné par les Requins. Grâce à son équipement magique, Zack avait filé comme une flèche sur la patinoire et déjoué tous ses adversaires. Son équipement particulier lui permit de jouer aussi bien que ses idoles de hockey. Au cours de cette finale, Zack, le capitaine des Requins, fut acclamé par la foule, et les caméras restèrent fixées sur lui. Grâce à cette publicité entourant la partie, le jeune joueur étoile reçut une foule d'offres et des cadeaux de toutes sortes. Un poste de radio de la région lui offrit des billets pour une visite du Temple de la renommée du Canadien au Centre Bell de Montréal. Pas seulement deux, mais huit billets! Nathan, accompagné de son père, Éric, ainsi que de ses amis William, Laurier et Joey se méritèrent donc l'honneur de prendre part à cette merveilleuse sortie avec Zack et son père, Marc. Mario, l'entraîneur des Requins, tellement heureux que la saison de hockey se soit bien terminée pour son capitaine, paya son entrée afin de participer à cette joyeuse équipée.

Le départ est prévu pour très tôt, afin d'arriver à Montréal en avant-midi. Ainsi, toute la bande pourra profiter de la journée complète avant de revenir à Rocketville. Tous sont surexcités.

L'école terminée, une chose tout à fait inhabituelle se produit : au son de la cloche, personne ne propose de jouer au hockey. Zack, Nathan, Will, Laurier et Joey n'ont qu'une seule idée en tête : le

Temple de la renommée du Canadien! Ils marchent côte à côte en parlant de leur sortie, et prévoient tous se coucher tôt pour être en forme le lendemain. Ils se quittent au bout d'un moment pour se diriger vers leur domicile respectif.

Seuls Nathan et Zack poursuivent leur route ensemble puisqu'ils vont tous les deux au même endroit. Étrangement, grand-papa leur a demandé de venir les rejoindre chez lui. Ils arpentent la route en s'entretenant, bien entendu, de la journée fantastique qui les attend, et ils arrivent bientôt chez leur grand-père. Curieusement, les voitures de Marc et d'Éric sont garées devant la maison.

— Tiens, qu'est-ce que papa fait là à cette heure de la journée? demande Zack, surpris.

— Je me pose la même question. Papa ne devrait pas être là non plus! répond Nathan.

— Le seul moyen de le savoir, c'est d'aller voir. On fait la course! Le dernier rendu...

— ... est le pire joueur de hockey de Rocketville! répond Nathan en volant le départ pour prendre de l'avance.

— Hé, tu triches!

Zack s'élance aux trousses de son cousin. Les deux garçons courent en riant aux éclats. Ils arrivent finalement presque en même temps sur le seuil. Au même moment, la porte s'ouvre. Jean-Roch, leur grand-père, se tient dans l'embrasure.

— Juste à temps, les garçons! Nous vous attendions. Entrez, enlevez vos bottes et vos manteaux, puis rejoignez-nous au salon. Allez, *hop*! Dépêchez-vous!

Sur ces paroles, l'aïeul tourne les talons, les laissant seuls et muets d'incompréhension sur le pas de la porte.

— Tu sais de quoi il parle? demande Zack en se grattant la tête.

— Négatif. Il est bizarre aujourd'hui, remarque Nathan en enlevant ses bottes.

— En effet. As-tu remarqué combien il avait l'air sérieux?

Les deux garçons échangent soudain un regard inquiet : une même pensée leur traverse l'esprit. « J'espère que cela n'a rien à voir avec la sortie de demain... »

— Les garçons, vous venez? demande leur grand-père, dont la voix remplie d'impatience leur arrive en provenance du salon.

— On arrive! lance Zack en déposant son manteau sur la patère juste à côté de la porte d'entrée.

Ils entrent enfin au salon où sont assis Jean-Roch, Marc et Éric. Une certaine appréhension flotte dans l'air, mais les garçons ne sauraient dire pourquoi. Grand-papa semble mystérieux, et à l'expression d'étonnement qui apparaît sur le visage de Marc et d'Éric, ils semblent eux aussi ignorer la raison de leur présence. Ces constatations mises à part, tout paraît normal... à l'exception d'une grosse boîte qui gît aux pieds du patriarche.

Zack est instantanément frappé d'un souvenir récent. Il se rappelle avoir vu le même air mystérieux sur le visage de son père le jour où ce dernier lui a transmis l'équipement de hockey magique de l'arrière-arrière-grand-père, appartenant

aux Laflamme depuis plusieurs générations. Bien évidemment, comme il ne con-
naissait pas encore son cousin Nathan, ce
dernier n'a jamais vu cette expression peu
commune. Zack avait également constaté
cette même expression indéfinissable sur
le visage de son grand-père quand ce
dernier a parlé du sifflet magique suite au
vol de son équipement...

Au moment où les deux cousins ouvrent
la bouche pour poser quelques questions
sur le but de cette petite réunion familiale,

Jean-Roch met un doigt sur ses lèvres, leur imposant le silence, tandis que de l'autre main il leur fait signe de s'asseoir sur le canapé. Les deux garçons s'exécutent en jetant un regard interrogateur vers leur père respectif. Ces derniers gardent le silence. Lorsque tout le monde est bien assis, Jean-Roch se lève et prend la parole.

— Les garçons, c'est demain le grand jour et...

— Oui, grand-papa ! On a...

— Nathan, silence ! l'interrompt son père. Écoute ce que grand-papa a à dire, s'il te plaît.

— Comme je le disais, c'est demain le grand jour, poursuit Jean-Roch. Et pour souligner cette sortie spéciale, j'ai pensé vous faire un petit cadeau. J'en prends soin depuis des années et...

— C'est quoi ? demande encore Nathan.

— Silence !

Tout le monde éclate de rire en entendant le ton autoritaire utilisé par Zack pour faire taire son cousin.

— Je m'excuse, Nathan, dit Zack le sourire aux lèvres, mais je connais le ton solennel utilisé par grand-papa, et je crois que nous ne serons pas déçus, tu peux me croire.

— Oh! Désolé grand-papa, je me tais. Nous t'écoutons!

— Merci, Nathan, reprend le grand-père en souriant. Donc, je garde ce petit bijou depuis des années en me disant qu'il doit revenir à ma descendance. J'ai longtemps voulu le donner à mes fils, mais je n'ai jamais pu me résigner à m'en séparer. Peut-être par égoïsme, je l'ignore. De toute façon, j'avais une bonne excuse : je me devais de faire croître ce trésor...

À ce moment, les yeux d'Éric et de Marc s'agrandissent d'impatience et de curiosité. Que garde donc leur père depuis tant d'années et qu'a-t-il tenu secret?

— Dans cette boîte, mes enfants, se trouve ce que je considère comme la plus précieuse part de mon héritage.

Devant l'air inquiet de ses fils, Jean-Roch poursuit tout de suite.

— Rassurez-vous, je ne me sens pas malade et je n'ai pas l'intention de vous quitter de si tôt! Par contre, je considère ma tâche accomplie, et je me dois de passer le flambeau...

— Comme les Glorieux... murmure Nathan.

Tous les regards se tournent vers le jeune garçon.

— Ça va, j'ai compris... s'excuse Nathan, impatient de voir le contenu de la boîte.

— Si tu veux, Nathan, comme les Glorieux, mais avec des bras un peu moins meurtris... Comme je le disais donc, je considère ma tâche accomplie. C'est pourquoi je décide, aujourd'hui, de vous donner ceci. Je veux souligner à ma manière le courage exceptionnel démontré par Zack récemment; l'intelligence de Nathan qui a su décoder les messages; le travail de fin limier d'Éric pour avoir retrouvé mon petit-fils, et également le courage de Marc qui a su gérer la situation avec calme. Pour toutes ces raisons, je transmets officiellement à mes petits-fils le contenu de cette boîte, déclare fièrement Jean-Roch.

Il glisse la boîte devant les deux garçons qui osent à peine y toucher. Marc et
Éric s'avancent sur le bout de leur siège de
manière à bien voir le contenu quand il
sera dévoilé. Zack et Nathan questionnent
des yeux leur grand-père avant de l'ouvrir.

— Une dernière chose! ajoute soudain
le grand-père. J'y tiens plus qu'à la prunelle
de mes yeux. Vous devrez en prendre le
plus grand soin. Mais je sais que je peux
vous faire confiance. Vous pouvez y aller,
les garçons. Ce trésor vous appartient
maintenant.

Zack et Nathan s'approchent de la boîte
et en soulèvent délicatement le couvercle,
comme s'il s'agissait d'une œuvre d'art. Ils
le posent par terre et jettent un œil à
l'intérieur. Le contenu est recouvert d'un
tissu de coton dont ils soulèvent lentement
les coins. Ils jettent un cri de surprise, et
leur joie explose simultanément.

— Ça alors! lance Zack.

— Ça doit faire des années! reprend
Nathan.

—Plusieurs décennies, acquiesce leur
grand-père.

— On peut savoir de quoi vous parlez ? s'exclame Marc qui meurt d'envie de découvrir ce que contient la boîte.

Pour toute réponse, Jean-Roch fait signe à ses petits-fils de continuer.

Les deux cousins dévoilent alors une incroyable collection de cartes de hockey. Leur grand-père reprend la parole.

— J'ai commencé cette collection quand j'avais une dizaine d'années... dans les années quarante. Si on tient compte du fait que la première compagnie officielle de cartes de hockey est apparue en 1933, juste un peu avant ma naissance, vous avez devant vous plusieurs cartes assez rares, dont quelques-unes de grande valeur. Cette boîte contient plus d'un demi-siècle des meilleurs joueurs de hockey de toutes les équipes confondues. Bien entendu, les Canadiens constituent le centre de ma... de votre collection. Il vous appartient dorénavant de la poursuivre, si vous le désirez, bien évidemment.

— Oh oui ! répondent en chœur Zack et Nathan en se jetant au cou de leur grand-père. Merci ! Merci ! Merci !

— Chanceux! s'exclament à leur tour Marc et Éric en admirant l'extraordinaire collection de leur père.

— Nous pouvons partager avec vous, si vous le voulez, reprend Zack. Tu es d'accord, Nathan?

— Pas de problème pour moi.

— Nous acceptons volontiers! répondent d'une seule voix les paternels.

Les quatre amateurs de hockey entourent la boîte, et quatre paires de mains s'y glissent délicatement pour en sortir plusieurs cartables. Mais avant de les perdre totalement dans leur contemplation, le grand-père réclame encore un instant d'attention de la part des hommes de la famille Laflamme. Les mains se retirent toutes en même temps.

— Au fait, pendant que j'y pense, j'ai pris un arrangement avec Sandra, Hélène et tous les autres parents des enfants qui nous accompagnent demain. Nous reviendrons à Rocketville seulement dimanche. Je paie l'hôtel pour tout le monde, et les parents ont tous accepté de contribuer pour les repas et les dépenses personnelles. Nous avons une autre visite au programme... Finalement, vous dormirez ici. Les filles apporteront vos bagages pour la fin de semaine plus tard ce soir. Maintenant, amusez-vous, mes enfants !

Alors que les quatre hommes se replongent dans leur découverte, Jean-Roch reprend place dans son fauteuil. Pendant un long moment, il les regarde tendrement. Les pères semblent aussi emballés que leurs fils, soulevant délicatement les pages des cartables, échangeant des commentaires admiratifs. Le grand-père essuie discrètement une larme de joie qui roule sur sa joue. Comme il est beau de voir toute sa descendance réunie autour d'une même passion !

Chapitre 2

Une collection incroyable !

Plus tard dans la soirée, bien après que le patriarche ait quitté le salon, Zack, Nathan, Marc et Éric sont toujours penchés sur la précieuse collection. Malgré leur enthousiasme, les quatre fanatiques la manipulent avec autant de précautions qu'une coupe de cristal. Ils constatent avec joie que toutes les cartes sont classées de manière très méthodique. Le grand-père Laflamme a accompli un travail phénoménal ! Chaque cartable correspond à une décennie de production : 1940, 1950 et ainsi de suite, jusqu'aux années 2000. Il y a une dizaine de cartables, tous identifiés et très bien conservés. Pas un grain de poussière ne vient gêner la vision de ces petites œuvres d'art plastifiées. Chaque carte a été minutieusement insérée dans une pochette individuelle, et on voit qu'elles n'ont pas été manipulées très souvent, ou encore qu'elles l'ont été avec un soin maladif. Cependant, les pages des cartables sont usées d'avoir été feuilletées au fil des années.

Sans se considérer fins connaisseurs, les fils Laflamme savent très bien que ce qu'ils tiennent entre leurs mains possède une valeur inestimable. Non seulement à cause de la rareté et de l'originalité de cette collection monumentale, mais également pour l'attachement sentimental du grand-père à son égard. Les deux garçons et leurs pères comprennent parfaitement combien leur aïeul doit y avoir investi de temps et d'effort. Et comme si leurs doigts pouvaient palper les souvenirs, les quatre amateurs sentent leur cœur tressaillir au contact de chaque page. Chacun d'eux serre un cartable dans ses mains et pousse à tout moment des cris d'admiration. L'histoire du hockey se déroule sous leurs yeux! Devant eux défilent des joueurs d'une autre époque, d'un siècle différent. Des légendes, mais aussi des héros obscurs et des joueurs moins connus. Des cartes en noir et blanc, imprimées grossièrement sur des morceaux de carton, sans aucune protection, jaunies par le passage des années, mais en bon état malgré leur âge. Et aussi des cartes plus récentes, mais de séries très limitées. Apparemment, grand-papa semble être un collectionneur chevronné ; il a cherché toute sa vie des cartes spéciales, presque inédites.

— Ça alors ! s'exclame Éric. Regardez ça !

Il tend aux trois autres le cartable portant l'indication « 1940 ». À la toute fin, la dernière pochette de plastique ne contient qu'une seule carte. Tout en haut, sur un bout de papier collé, une date est écrite à la main : « 1923 ».

— Mais... c'est impossible ! s'exclame Zack, ébahi. Grand-papa a dit que les premières compagnies étaient apparues dans les années trente.

— Oui, pour les compagnies, c'est vrai. Mais il me semble avoir déjà entendu parler de certaines cartes de hockey qui ont paru dans les années vingt. Quel portrait apparaît sur la carte, Éric ? demande Marc.

— Georges Vézina, numéro 19.

— Une carte de Georges Vézina ! s'exclame Marc. En 1923 ! C'était deux ans avant qu'il arrête de jouer avec le Canadien. Comment papa peut-il avoir obtenu une telle rareté?

— Moi, il n'y a plus grand-chose qui m'étonne de grand-papa! affirme Zack en reprenant sa fouille. On lui demandera une autre fois. Je n'ai nullement envie d'abandonner la boîte.

— Bonne idée, mon garçon! ajoute Marc en ébouriffant les cheveux de son fils.

Tout le monde poursuit sa découverte de la collection de cartes de hockey. Les minutes s'écoulent sans qu'aucun des fils Laflamme ne s'en aperçoive. Jean-Roch revient au salon au bout d'un certain temps.

— Alors, vous aimez?

— Et comment! s'exclame Nathan, dont les yeux pétillent. C'est fabuleux, grand-papa, une collection comme ça! Elle doit valoir des milliers de dollars!

— Certainement!

— Comment as-tu pu nous cacher ce trésor pendant autant d'années, papa? demande Éric. Je n'en reviens pas!

— Et toutes les cartes que tu nous achetais... déclare Marc, étonné, laissant sa phrase en suspens.

— En fait, je ne les achetais pas pour vous, les garçons... Je les achetais pour moi. Je vous donnais celles qui n'avaient aucune valeur.

Jean-Roch se met à rire nerveusement. Il se sent soulagé d'avouer à ses fils son petit secret.

Tout le monde reste muet, mais garde le sourire.

— Vous avez faim ? Le souper est prêt.

— Oui papa, mais avant, juste une question, demande Éric. Nous avons trouvé une carte de 1923.

— Oui, et tu as dit que tout avait commencé dans les années trente, poursuit Zack.

— Ah ! Vous l'avez vue, fait Jean-Roch en arborant un sourire triomphant. Il s'agit de mon joyau le plus exceptionnel ! Je ne pensais jamais réussir à l'obtenir, jusqu'à ce que je la découvre, traînant avec de vieilles photos dans un marché aux puces.

— Quoi ? s'exclament les admirateurs.

— Oui, dans un marché aux puces ! Quand j'ai vu cette carte, j'ai demandé au vendeur assis derrière sa table combien il vendait le lot. Je ne vous dirai pas combien je l'ai payé, c'est presque gênant. Disons que l'homme en question avait trouvé cette pile de vieilles photos dans son grenier et, ne sachant pas quoi en faire, il s'était dit qu'il pourrait peut-être en tirer un peu d'argent. Il n'a probablement jamais pris la peine d'y jeter un coup d'œil.

— Alors, il n'avait aucune idée de ce qu'il te vendait ? demande Nathan. Lui as-tu dit ?

— La valeur réside surtout dans les yeux d'un adepte enthousiaste, répond le grand-père en lui faisant un clin d'œil. Un objet mis aux rebuts par l'un, peut devenir le trésor de l'autre. Mais dans mon cas, il était... disons... inutile de révéler ce que cette vieille carte représentait.

Devant le sourire malicieux du grand-père, tout le monde éclate de rire. Bien sûr qu'il ne s'en était pas vanté ! Pourquoi risquer de perdre une si bonne occasion ?

— Et pourquoi a-t-on fabriqué une carte en 1923 ? s'enquiert à nouveau Éric.

— J'ai effectué des recherches, mais je n'ai pas trouvé grand-chose. Le créateur reste inconnu, et je n'en ai jamais vu de pareille. Elle est peut-être unique, qui sait ? Moi, en tout cas, j'y crois ! Bon ! Assez parlé ! Tout le monde à table ! Notre discussion m'a creusé l'appétit. Vous devez bien avoir faim, vous aussi. Vos yeux sont peut-être remplis, ajoute-t-il en riant, mais votre estomac, non !

Les quatre Laflamme approuvent, unanimes :

— À la bouffe !

Chapitre 3

Serait-ce possible...

Jean-Roch et sa descendance masculine sont réunis autour de la table, dégustant un excellent repas concocté par l'aïeul lui-même : boulettes de steak haché aux légumes, riz blanc, salade César et sauce au poivre. Un vrai régal !

Tous les cinq parlent des mêmes sujets : cartes de hockey et fin de semaine à Montréal. Les deux cousins et leurs pères, curieux de connaître le mystérieux programme du grand-père, essaient à tout prix d'en savoir davantage. Samedi, en après-midi, ils visiteront le Temple de la renommée du Canadien au Centre Bell, mais grand-papa garde un silence énigmatique pour la suite des choses. Où dormiront-ils ? Que feront-ils dimanche ?

Malgré tous leurs efforts, personne n'arrive à lui soutirer de l'information, ni pendant le repas, ni même au dessert.

Jean-Roch reste muet comme une carpe. Seul un sourire presque niais demeure figé sur son visage.

Le temps file et personne ne s'en rend compte. Soudain, le carillon de la porte met fin à leur discussion animée. Ils regardent l'heure, déjà presque huit heures. C'est sûrement Hélène, Sandra et bien sûr Zoé, la sœur cadette de Zack, qui viennent porter les bagages. D'un bond, tout le monde se lève de table. Les deux cousins sont chargés d'aller ouvrir, tandis que les adultes commencent à ramasser les restes du repas.

Une bourrasque glaciale s'engouffre dans la maison au moment où les garçons ouvrent la porte. Les filles se dépêchent d'entrer pour rapidement la refermer derrière elles. Brrr! La soirée s'annonce froide. « Sans importance », se disent Nathan et Zack, « ce soir, les cartes ont la priorité. » De toute manière, il faut se coucher tôt : une journée chargée les attend demain.

— Bonsoir, les garçons! lance Hélène en secouant la neige de ses boucles brunes.

— Salut!

— Zacko! Nathan! s'exclame à son tour Zoé. Vous êtes chanceux! Vous avez soupé avec grand-papa!

— C'est toi la chanceuse, rétorque son frère en riant, tu as eu maman et tante Hélène pour toi toute seule.

— Ah! Oui, c'est vrai : pour moi toute seule! répond la fillette en enlevant ses bottes et son manteau. Est-ce que papa, grand-papa et oncle Éric sont là?

Survoltée, elle s'enfuit sans attendre la réponse.

— Où sont nos bagages? interroge Nathan.

— Dans la voiture, répond Sandra, sa mère. Nous les avons préparés pour vous, mais vous devrez les traîner vous-mêmes, ajoute-t-elle, d'un air moqueur.

Venant du salon, on entend la voix de Zoé, criant sa question à qui voudra bien lui répondre.

— C'est quoi, ça?

Elle montre du doigt la boîte, qui trône encore au milieu du salon, et s'en approche.

Alarmés, les garçons accourent tous en même temps. Étrangement, Jean-Roch, malgré sa condition physique restreinte, vu son âge, arrive le premier sur les lieux.

— Rien de bien intéressant, ma belle! répond-il d'une voix qu'il voulait nonchalante, en replaçant les cartables dans la boîte. Juste une vieille collection que grand-papa fait depuis des années.

Il exécute sa tâche avec des gestes rapides, mais minutieux. Les garçons se penchent pour l'aider. Hélène et Sandra arrivent à cet instant.

— De quoi s'agit-il? s'enquiert à son tour la mère de Zack.

— Rien de bien important, lui répond son mari en relevant à peine la tête. Des vieilleries.

— Des vieilleries? Cinq hommes agenouillés autour d'une boîte à ramasser des vieilleries... répète Hélène, incrédule.

— Dommage qu'ils ne manifestent pas le même empressement pour ramasser leurs traîneries! ajoute Sandra en ricanant.

— Faut pas rêver, ma grande!

Les femmes pouffent de rire. Zoé, un peu frustrée d'être écartée de la conversation, veut protester, mais sa mère lui change les idées.

— Zoé, crois-tu que grand-papa a des petites surprises, comme d'habitude ?

— Oh ! Oui ! Des surprises ! fait la fillette en tapant des mains. Dis, grand-papa, tu en as ?

— Bien sûr, ma belle ! Tu sais, je les achète juste pour toi !

Jean-Roch se dirige vers l'armoire et en sort une magnifique boîte en forme de cœur. Zoé s'en empare et ouvre le couvercle. Ses yeux brillent devant les dizaines de petites sucreries.

— Du chocolat ! Merci grand-papa !

Elle se jette au cou de son grand-père qui tombe presque à la renverse. Parfait ! Cet intermède donnera le temps aux garçons de tout ranger. Une idée traverse alors l'esprit de Nathan. *Serait-ce possible que...* Mais il garde sa réflexion pour lui. Dès que les filles partiront, il partagera son plan avec les autres.

Une heure plus tard, après avoir bavardé de l'escapade des garçons, Sandra et Hélène se préparent à quitter leurs hommes. Pendant qu'elles s'habillent, Marc et Éric vont chercher les bagages dans la voiture. Bien évidemment, Zoé ne peut s'empêcher de manifester son mécontentement. Elle ne prendra nullement part au voyage et elle trouve cela bien injuste. Pour faire cesser ses protestations, Hélène et Sandra lui promettent une fin de semaine de rêve, entre filles.

Tout le monde s'embrasse, se dit au revoir et se quitte jusqu'à dimanche. Dès le départ des filles, Nathan se tourne vers les hommes de sa famille.

— Papa, mon oncle, Zack, papi ! J'aimerais vous parler de quelque chose avant qu'on aille se coucher.

— Si tu te dépêches, mon homme, parce qu'il est déjà neuf heures, remarque son père.

— Je sais, mais c'est très important.

— Retournons au salon, alors, propose son grand-père.

Nathan se dépêche de changer de pièce, suivi de près par Zack, curieux de connaître l'idée qui trotte dans la tête de son cousin. Le reste du groupe le suit.

— Quand j'ai vu Zoé jouer avec la collection de cartes, j'ai paniqué ; comme tout le monde, je pense. Je veux dire, nous avons tous couru pour la lui enlever. Même toi, grand-papa, tu as dû voler pour arriver aussi vite !

— Ça, c'est certain ! Tu aurais pu gagner le cent mètres ! ajoute Zack.

— Le cent mètres... tu exagères, fiston ! Je manque d'entraînement, répond Jean-Roch d'un air très sérieux.

Tout le monde s'esclaffe à la blague du grand-père. Nathan reprend.

— En paniquant, j'ai repensé à l'équipement de hockey, au sifflet magique que toi, grand-papa, tu as utilisé pour le retrouver quand on te l'a subtilisé, dit Nathan en baissant un peu la voix. Bon ! Repensant à tout ça, je me suis dit que vous aviez tous participé à ces événements. Moi, un peu, mais pas comme je l'aurais souhaité. Vous saisissez ?

— Oui, je te comprends, Nathan, dit son père.

— Alors, que faisons-nous? demande Zack, impatient de savoir à quoi son cousin veut en venir.

— Bien, je me suis dit... L'arrière-arrière-grand-père a pu rendre un équipement magique. Toi, grand-papa, tu as fait la même chose avec un sifflet. Nous pourrions peut-être essayer d'en faire autant avec la collection de cartes de hockey...

— C'est-à-dire? demande Marc, très intéressé.

— Et bien... On pourrait invoquer la même protection : qu'elle ne soit vue que par les hommes de la famille, comme l'équipement. Ça la protégerait.

— Bonne idée, dit Éric.

— Oui, mais ça manque d'originalité, proteste Zack. En plus, j'aimerais beaucoup pouvoir la montrer aux copains de l'équipe. Hmm... réfléchissons encore. Je crois qu'en cherchant bien, nous pourrions trouver mieux.

— J'ai une idée! s'écrie Nathan. Et si nous demandions que, pour un match seulement, nos cartes prennent vie, afin que nous puissions jouer avec les meilleurs?

— WOW! Génial! s'écrie Zack en se levant d'un bond. Ça vous tente?

Un « oui » unanime s'élève dans le salon, et des milliers d'étoiles apparaissent dans les yeux de chacun des fils Laflamme, même de Jean-Roch.

— Comment fait-on, grand-papa, pour présenter une demande? s'enquiert Nathan.

— Oui, comment? répète Marc.

— Ça va, j'ai compris! leur répond Jean-Roch en se grattant la tête. Vous voulez savoir comment procéder? Eh bien... je ne le sais pas.

— Comment? s'écrient en chœur les garçons.

— Je ne le sais pas vraiment. Votre arrière-arrière-grand-père a formulé son souhait dans un moment de grande joie. Moi, je me trouvais au bord du désespoir.

— Peut-être qu'il faut simplement y croire, propose Zack. Qu'en pensez-vous?

— À défaut de savoir, on peut toujours essayer, lui répond son grand-père.

— Alors, nous formulons un vœu? demande Nathan.

— Et si tu adressais ta demande tout seul, mon homme, continue Jean-Roch. Tu l'as dit toi-même, tu as participé aux événements, mais pas comme tu l'aurais souhaité. Cette fois, tu pourrais vraiment être impliqué et initier cet événement.

— D'accord, grand-papa!

— Nathan, nous comptons tous sur toi, déclare Marc. Si je pouvais jouer un match avec un seul de ces joueurs, je mourrais heureux! Tu imagines, toi, moi et le Rocket! Un trio imbattable!

Jean-Roch sourit à la remarque de son fils. Il est convaincu que tout peut arriver quand on y croit suffisamment. Après tout, son père et lui-même ont réussi l'exploit par le passé. Bien que la cause demeure un mystère, des souhaits incroyables ont tout de même été exaucés dans deux générations différentes. Alors, pourquoi le garçon ne pourrait-il pas voir son désir comblé à son tour ? Nathan demande aux membres de sa famille de s'asseoir en rond autour de la collection. Il s'assoit à son tour. Tous se tiennent par la main et ferment les yeux. Le silence s'installe dans la maison. Nathan prend alors la parole et, profondément convaincu, formule sa demande à qui veut bien l'entendre, l'écouter, mais surtout l'exaucer.

— Je ne sais pas à qui précisément je dois adresser mon souhait, mais si vous m'entendez, j'ai une requête importante à vous soumettre. Je désirerais vivement que les cartes de hockey prennent vie, juste une fois, pour jouer un match avec mon père, mon cousin, mon oncle, mon grand-père et moi. Je vous le demande, non pas pour moi, mais pour eux. Depuis mon arrivée à Rocketville, ils m'ont tous entouré de gentillesse, malgré les problèmes que j'ai causés. Je voudrais les remercier par ce vœu. Et, s'il est possible, j'aimerais beaucoup que les membres de l'équipe puissent jouer aussi... S'il vous plait ! Je vous demande d'exaucer ce souhait important pour moi, ma famille et mes amis. Merci !

Lorsque Nathan cesse de parler, chacun retient son souffle, s'attendant peut-être à voir les murs trembler, ou à apercevoir un halo de lumière autour de la boîte... mais rien.

— Alors? lance soudainement Zack, brisant le silence tendu. C'est tout?

— Hmm... fait le grand-père. Tu as formulé une belle demande, Nathan... Mais apparemment, nous ne verrons pas de résultats ce soir. Il ne reste qu'à espérer.

— Et à aller dormir, ajoute Éric en regardant sa montre.

Tout le monde acquiesce.

— On peut prendre la boîte de cartes avec nous? demande Zack.

— Seulement si vous promettez de ne pas vous endormir tard, répond Marc.

— C'est promis! assurent les garçons en s'éclipsant, la boîte dans les bras.

Ils montent à leur chambre et s'émerveillent encore quelques instants devant la merveilleuse collection. LEUR collection! Mais bientôt, le sommeil les gagne et ils s'endorment, quelques cartables étalés au pied du lit.

Vers minuit, tout le monde dort paisiblement dans la résidence du grand-père et personne ne voit une pluie d'étoiles filantes passer au-dessus de la maison. À cet instant précis, un promeneur passant par là aurait pu affirmer qu'une des étoiles, devenue plus scintillante que les autres s'était presque arrêtée au-dessus de la maison comme si, dans son sillage, elle envoyait un message à Nathan : « Ton souhait a été entendu. »

Chapitre 4

Visite au temple de la renommée

Les participants à l'excursion montréalaise arrivent très tôt chez Jean-Roch Laflamme le lendemain matin, comme convenu. Mario, leur entraîneur, frappe à la porte le premier, à la grande surprise de tous. Il avait normalement la fâcheuse habitude d'être en retard. Il conduit la fourgonnette louée par le grand-père pour l'occasion.

Après les au revoir, les parents des joueurs des Requins observent leurs enfants très excités monter à bord du véhicule. Destination : Montréal. L'arrivée est prévue aux alentours de onze heures trente. Jean-Roch a tout organisé. Après avoir déposé leurs bagages à l'hôtel, ils iront tous manger dans un resto du centre-ville pour ensuite se diriger vers le Centre Bell.

Le voyage en voiture se déroule sans anicroche. La journée est splendide, la température parfaite pour circuler sur les routes en hiver : pas de neige, ni de luminosité éclatante, le soleil jouant à cache-cache, se glissant derrière les nuages. Tout se passe tellement bien que l'on respecte à la lettre l'horaire prévu. La tribu parvient au Centre Bell à treize heures tapantes.

Marc, Jean-Roch et Zack se rendent au comptoir et présentent les billets gagnés. Le guichetier lève les yeux et aperçoit le capitaine des Requins.

— Ça alors ! C'est toi, Zack Laflamme ?

— Euh... Oui, c'est moi. On se connaît ?

— Moi je te connais. Je t'ai vu aux infos il n'y a pas longtemps. C'est toi qui as été enlevé par l'entraîneur de l'équipe adverse pendant un tournoi, non ?

— Parfaitement.

— J'admire ton courage, jeune homme, poursuit le guichetier. Bravo ! À ta place, dans une telle situation, j'aurais difficilement conservé mon sang-froid. Vous me donnez deux minutes, messieurs ? demande-t-il à Marc et à Jean-Roch. Je reviens tout de suite.

— Pas de problème ! répond Marc. Nous vous attendons.

Le préposé à la réception s'éloigne et rejoint un autre homme avec qui il engage la conversation. À peine une minute plus tard, les deux hommes reviennent.

— Bonjour, messieurs, les salue le nouveau venu. Je suis le directeur. Mon employé vient de me raconter l'histoire de Zack, c'est bien ça, Zack ?

— Oui, monsieur.

— Eh bien, jeune homme, je vois que tu as gagné des billets pour tout le monde, c'est super !

— Pas pour tout le monde, monsieur. Mario, notre entraîneur, s'est joint à nous, mais il n'a pas de billet.

— Eh bien, maintenant, il en a un ! Nous le lui offrons avec joie et nous le comptons fièrement parmi nos invités de marque, tout comme vous tous !

— Merci ! dit Mario en s'avançant pour serrer la main du généreux directeur. Vous me comblez !

— Cela me fait plaisir ! Je vous souhaite une bonne visite et, si possible, venez me voir avant votre départ. Je sais qu'il s'agit d'une demande inhabituelle, mais j'aimerais m'entretenir avec vous.

— Nous passerons vous voir, assure Jean-Roch en tâchant de dissimuler son impatience.

— Bonne journée alors ! lance le directeur en les saluant de la main.

— Merci ! crient tous les joueurs des Requins d'une seule voix.

Ils se dirigent vers l'entrée du Temple. Arrivés au haut de l'escalier, ils tombent aussitôt sous le charme des répliques grandeur nature des joueurs qui les attendent dans la salle d'exposition, en contrebas. Avant de descendre, Jean-Roch demande l'attention de sa troupe.

— Les garçons, voici le plan : vous pouvez aller chacun de votre côté ou rester groupés, si vous le désirez. Personne n'a le droit de sortir du périmètre seul. Nous nous rejoindrons tous ici dans, disons, une heure. Ça vous va ?

— Cinq sur cinq! Monsieur Laflamme, répond William.

— Parfait, grand-papa! ajoutent les deux cousins.

— Et ne criez pas trop fort, les amis. Nous ne sommes pas seuls et...

Jean-Roch n'a pas le temps de terminer sa phrase : tous se dispersent comme des boules de billard, même Marc et Éric. L'aïeul les regarde s'éloigner en riant. Décidément, ils auront une très belle fin de semaine...

Deux ou trois groupes se forment. William, Joey et Laurier se dirigent tout de suite vers les répliques des meilleurs joueurs pour se prendre mutuellement en photo. Jean-Roch, lui, se déplace immédiatement vers la gauche où l'attendent le chandail, les patins et le bâton du Rocket. Il y a même un contrat signé par Jean Béliveau à son entrée chez le Canadien. Zack et Nathan, pour leur part, s'arrêtent net sur place. Devant eux, il y a une section entièrement dédiée aux cartes de hockey : Le Labyrinthe des cartes. Ils s'avancent et voient Marc et Éric, leur père respectif, qui se trouvent déjà sur place.

— Wow ! Tu as vu la collection, Zack ! s'exclame Nathan.

— Impossible à manquer, cousin. C'est incroyable !

— Tu crois que grand-papa en a autant dans sa collection, je veux dire, que nous en avons autant ? demande Nathan.

— D'après ce que nous avons vu hier, note Éric, je dirais que vous possédez une collection assez complète, les gars !

— Papa ! interpelle alors Marc en regardant son père, placé derrière le mur de cartes. Papa ! Tu viens ?

Jean-Roch émerge de sa rêverie en entendant la voix de son fils. Les articles ayant appartenu à son idole l'absorbaient tellement qu'il était demeuré aveugle à la section entière de cartes de hockey. Se retournant, il reste muet, contemplatif. Sans savoir pourquoi, alors qu'il se dirige vers ses fils et ses petits-fils, il sent sa gorge se nouer et des larmes lui monter aux yeux.

— Ça alors ! Ils possèdent une remarquable collection ! Aussi impressionnante que la mi... que la vôtre, les garçons.

— Nous nous posions justement la question, papa, poursuit Marc, à savoir si la collection des garçons était aussi complète ?

— Sûrement pas ! Elle est tout de même bien garnie, mais ils conservent ici des petits bijoux très difficiles à dénicher. Mais, je ne veux pas m'attarder ici tout de suite : je préfère garder le meilleur pour la fin. Je vais faire le tour du musée. À tantôt ! Amusez-vous bien !

— Attends-moi, papa, dit Éric, je viens avec toi. Tu connais tout sur le hockey : tu me serviras de guide.

— Je vous suis, lance Marc à son tour. Les garçons, dit-il en se retournant vers son fils et son neveu, n'oubliez pas qu'il y a autre chose à voir.

— Oui, papa, mais nous allons rester encore un peu, n'est-ce pas, Nathan ?

— D'accord !

Alors que tout le monde s'éloigne et poursuit la visite, les deux cousins restent seuls dans la section consacrée aux cartes de hockey. Ils sont absorbés et perdus dans leurs pensées en regardant tous ces joueurs d'une autre époque et d'aujourd'hui. Tout est silencieux autour d'eux. Tout à coup, Nathan perçoit des murmures. Il se retourne vers Zack.

— Tu as entendu quelque chose ?

— Non... Qu'est-ce que j'aurais dû entendre ?

— Rien, c'est sans doute mon imagination, dit Nathan d'une voix peu convaincue.

— Rien ? Voyons, Nathan ! Si tu me le demandes, c'est parce que...

— Je ne sais pas. C'était bizarre, comme des murmures.

— Nous nous trouvons dans une exposition, remarque son cousin. C'est probablement les gens autour de nous, dans les autres salles. Rien de plus. On continue ?

— Oui, allons voir les autres sections.

Les deux garçons quittent le Labyrinthe des cartes à contrecœur pour se rendre dans une autre partie de l'exposition. Même si Nathan est persuadé d'avoir bel et bien entendu des murmures, il s'efforce de chasser cette pensée. Zack a sans doute raison. Il s'agissait sûrement des conversations des autres visiteurs... Mais une certaine inquiétude demeure dans son esprit. Il n'est pas convaincu.

Le musée est organisé de façon à plaire au plus grand nombre. Chacun y trouve son sujet d'émerveillement. Pour les uns, ce sont les vieux équipements de joueurs : le premier masque porté par Jacques Plante, les premiers patins, les anciens chandails du Canadien. D'autres préfèrent la section technologique munie d'écrans tactiles sur lesquels on peut faire défiler

des textes, des images, ou même des vidéos. Dans un coin, des enfants s'attardent à poser des questions à une parfaite reproduction virtuelle de Jean Béliveau, alors que d'autres flânent dans la section consacrée à l'évolution des produits dérivés du Canadien : livres, bouchons de boissons gazeuses, boîtes de céréales, jeux, etc.

Sans s'être consultés, Jean-Roch, Éric, Marc, Zack et Nathan arrivent en même temps près du vieux vestiaire datant de l'époque du Forum de Montréal. Le grand-père reste sans voix. Il ose à peine poser le pied sur le plancher de cette réplique, comme s'il pénétrait dans un sanctuaire et qu'il s'en sentait indigne. Ses deux petits-fils, quant à eux, sont bien trop excités pour manifester une telle vénération. Se précipitant à l'intérieur de la chambre, ils se dirigent aussitôt vers le vieux banc, se bousculant presque pour s'y asseoir. Au contact du bois, les deux cousins sentent leur cœur se gonfler de joie. Ils imaginent ce que pouvaient ressentir les premiers joueurs du Canadien, à l'aube d'une partie. « Ce devait être fantastique ! » songent-ils.

Jean-Roch lève les yeux et aperçoit, sur la banderole fixée au haut du mur, la devise du Canadien : « Nos bras meurtris vous tendent le flambeau. À vous de le porter bien haut ! » Il entre à son tour dans le vestiaire. Un silence révérencieux y est tombé, tous étant absorbés dans leurs pensées, leurs rêveries ou leurs souvenirs. Marc s'est assis devant le chandail de Lafleur pour se faire prendre en photo par son frère qui attend lui aussi d'être photographié avec le chandail du démon blond. Ensuite, ils entourent Mario Tremblay, le bleuet bionique, et Yvon Lambert et les autres.

Quelques minutes, peut-être même seulement quelques secondes s'écoulent avant que Jean-Roch et Nathan se lèvent d'un bond, simultanément. Le grand-père et le petit-fils se regardent.

— Grand-papa, tu as entendu toi aussi ?

— Oui, Nathan, j'ai entendu.

— Qu'est-ce que c'est ?

— Je ne sais pas.

— Encore les murmures ? demande Zack.

— De quoi parlez-vous ? interroge Éric, curieux.

Alors que Nathan s'apprête à répondre, Jean-Roch prend la parole.

— Rien de bien important, les garçons. Allez, continuons la visite. Nathan, veux-tu venir me prendre en photo avec le flambeau dans les mains ? Nous vous rejoindrons dans quelques minutes.

— Je peux rester avec vous ? demande Zack.

— Bien sûr, lui répond son grand-père.

Le groupe se sépare, et Jean-Roch reste seul avec ses petits-fils. Il attend quelques secondes avant de s'adresser à eux.

— Les garçons, avez-vous apporté des cartes avec vous ?

— Non, je n'ai rien sur moi, grand-papa, lui assure Zack. En fait, j'ai un cartable, mais il est resté à l'hôtel, dans mes bagages. Je voulais montrer quelques cartes aux gars de l'équipe. Je n'aurais pas dû ?

— Pas de problème, fiston ! Nathan, est-ce que tu en as des cartes, ici ? J'imagine que tu dois en avoir à l'hôtel, mais ici, dans tes poches ?

— Oui, une.

— Laquelle ?

— Celle de Georges Vézina, tu sais, la vieille.

— Tu n'as pas choisi n'importe laquelle, dis donc ! Tu me la prêtes un instant ?

— Bien sûr, grand-papa. La voici, dit Nathan en la sortant délicatement de la poche de son manteau.

Jean-Roch la porte près de son visage et la regarde attentivement. Le collectionneur a observé cette carte tant de fois au fil des ans qu'il en connaît chaque détail. Un sourire se dessine sur ses lèvres, puis il la rend à Nathan.

— Y a-t-il un problème ? demande Zack.

— Non, aucun, répond Jean-Roch, le visage illuminé d'un sourire malicieux. Pas de problème... Poursuivons notre visite : il sera bientôt l'heure de retrouver tout le monde au point de rencontre.

Il s'éloigne en sifflotant. Nathan tient la carte de Vézina entre ses mains. Il l'examine attentivement, incapable de trouver ce qui peut faire sourire son grand-père ainsi. Il la tend à Zack qui la scrute à son tour avec attention, mais lui non plus, n'y voit rien de différent. Cependant, le garçon a la certitude que quelque chose d'inhabituel se prépare. Chaque fois que Jean-Roch arbore son sourire niais, il survient un événement insolite.

Une heure après leur arrivée au Temple, tout le groupe se réunit à l'entrée. L'émerveillement est à son comble et chacun s'empresse de raconter aux autres ce qu'il a vu : « As-tu remarqué... » « Es-tu passé par la salle des... » « Moi, j'ai trouvé... c'était fantastique ! » Ils auraient tous aimé y rester encore un peu... mais ils se souviennent de la promesse de Jean-Roch : d'autres aventures les attendent. Mais avant tout, il faut aller voir le directeur, comme convenu.

Arrivés au guichet, tous les joueurs des Requins et leurs accompagnateurs sont attendus. Le directeur, les voyant revenir, quitte son comptoir et se dirige vers eux à grands pas.

— Vous avez aimé votre visite ?

— Oh oui ! répond Zack. C'était super !

— Merveilleux ! affirme Laurier.

— Si cela vous tente, vous pouvez visionner un film dans la salle d'à côté. Il relate l'histoire du Canadien et du vieux Forum, entrecoupée d'entrevues inédites.

— Pouvons-nous y aller, monsieur Laflamme ? demande Joey.

— Bien sûr ! Pourquoi pas ?

— Mais avant que vous partiez, j'ai une proposition à vous faire.

Des regards interloqués se fixent sur le directeur. Pourquoi sourit-il ainsi ?

— Vous savez que le Canadien joue contre Boston ce soir, poursuit-il.

— Oui, nous le savons.

— J'ai discuté avec les relations publiques concernant l'aventure incroyable de Zack. Le Club de hockey Canadien considère qu'une telle victoire mérite d'être soulignée. C'est pourquoi il est fier de vous offrir des billets pour la partie de ce soir.

— Vous rigolez! s'exclame Zack.

— Non, jeune homme, je ne rigole pas. Vous êtes nos invités de la soirée. Si vous n'avez rien d'autre de prévu, évidemment.

Le capitaine des Requins se retient de sauter jusqu'au plafond tellement il est heureux.

— Je ne manquerais pas ça pour tout l'or du monde! Un match Canadien-Boston! WOW! Nous pouvons assister au match, grand-papa?

— Certainement! répond Jean-Roch, enthousiaste. C'est une offre impossible à refuser. Que devons-nous faire?

— Tenez, voici ma carte, dit le directeur en sortant un petit carton de son veston. Vous n'aurez qu'à la remettre au préposé pour recevoir vos billets. Présentez-vous au comptoir une trentaine de minutes avant la joute. Le tout sera au nom de Zack Laflamme.

À ces mots, tous les enfants du groupe poussent des cris de joie. Des remerciements fusent de toutes les bouches.

— Je ne sais comment vous remercier dit le jeune garçon en serrant la main du directeur.

— Bravo à toi, jeune homme, et bon match, les amis! ajoute-t-il en les laissant sur cette surprise inattendue.

Tous les jeunes écoutent le film et quittent ensuite le Temple de la renommée pour aller se reposer un peu à l'hôtel avant le match de ce soir. Zack et Nathan semblent flotter sur un nuage. Les Canadiens contre les Bruins... Jamais les cousins n'auraient cru qu'un jour, ils les acclameraient de l'estrade! La soirée s'annonce exaltante et mémorable.

« Décidément, cette fin de semaine est la plus belle de toute ma vie! » songe le jeune Zack Laflamme, les yeux brillants.

Chapitre 5

Du repos
et des cartes

Jean-Roch avait prévu une tournée des attraits touristiques de Montréal, une soirée tranquille en regardant la partie à la télé et la visite du vieux Forum pour le lendemain. Ses projets sont bouleversés, mais cela a peu d'importance. Après tout, ils verront le match en direct du Centre Bell, une première pour tous les joueurs des Requins. Les adultes, eux, avaient déjà eu cette chance auparavant, mais leur excitation était tout aussi grande.

Ainsi, la visite de la ville est annulée, et la joyeuse bande se rend à l'hôtel. Dès leur arrivée, les deux cousins sont déjà assis sur un lit, réunis autour des cartables de cartes de hockey, prêts à montrer leur merveilleuse acquisition à leurs amis. Zack ne voulait apporter qu'un cartable, mais Nathan s'était permis d'en apporter un lui aussi. C'est d'ailleurs lui qui se réserve le droit d'expliquer aux copains d'où provient leur incroyable collection. Il leur raconte brièvement les propos tenus par son grand-père et l'histoire des cartes, tout en oubliant, bien évidemment, une pléthore de détails sur l'historique. Il omet toutefois volontairement le passage de son souhait.

Mais en sortant les cartables de la boîte, Nathan frissonne. Les mêmes murmures, à peine perceptibles, viennent lui chatouiller l'oreille. Le garçon lève la tête vers Zack, attentif lui aussi. Un seul regard leur suffit pour se comprendre. La même question leur a traversé l'esprit : Qu'est-ce que cela peut bien être ? Nathan se tourne immédiatement en direction de son grand-père, absorbé dans sa conversation avec Marc, Éric et Mario. Impossible de savoir s'il a entendu les voix, lui aussi. Tout à coup, Nathan a une idée. Il se retourne vers le capitaine des Requins de Rocketville.

— Dites, les amis, désirez-vous boire quelque chose ?

Tout le monde acquiesce d'un signe de la tête. Zack, poursuit Nathan, tu veux me donner un coup de main pour aller chercher des breuvages ?

— D'accord, répond son cousin en lui lançant un regard entendu. Crois-tu que nous avons tout ce qu'il faut ici ?

— Je ne sais pas. Allons demander à grand-papa.

Zack comprend le plan de son cousin : s'éclipser quelques instants pour pouvoir discuter en privé avec leur grand-père. Il saura certainement quoi faire face à ces murmures qui deviennent inquiétants. Les deux garçons se lèvent d'un même élan.

— Nous revenons dans quelques minutes ! ajoute Nathan. Vous pouvez feuilleter les cartables, mais interdiction de sortir les cartes de leur pochette. Elles ont une valeur inestimable. Alors on se remplit les yeux, mais on garde les mains vides. Ça vous va ?

— Oui oui, ça va, répond William, ne prenant même pas la peine de lever la tête en direction de son camarade, tant il est hypnotisé par les cartes de hockey étalées devant lui.

— Nous ne les abîmerons pas, promet à son tour Joey. Ne vous inquiétez pas.

— Prenez votre temps! ajoute Laurier pour conclure.

Zack et Nathan s'éloignent en direction des adultes qui, tout en regardant la télévision, discutent de la grande accumulation d'objets rarissimes à l'exposition du Temple de la renommée. Les deux cousins s'en vont directement se planter devant leur grand-père, coupant court à la conversation.

— Grand-papa, nous avons soif, commence Zack.

— Et c'est à votre grand-père que vous vous adressez, reprend Marc.

— Nous n'existons plus ou quoi? demande Éric en riant.

— Ce n'est pas ça, papa, répond Nathan. Mais comme c'est grand-papa qui organise tout, nous nous sommes dit que...

— Et vous avez eu raison de penser ça, les enfants! poursuit Jean-Roch en l'interrompant. Je m'occupe de tout. Continuez la discussion sans moi, je vais acheter des rafraîchissements avec mes petits-fils. Nous revenons tout de suite.

Le grand-père suivi de Zack et de Nathan s'éloigne alors, laissant Marc, Éric et Mario devant le téléviseur. Les joueurs des Requins, comme ensorcelés par les cartes, ne les voient même pas passer à côté d'eux.

Une fois sortis de la chambre d'hôtel, la porte à peine refermée, les deux cousins explosent, commençant à parler en même temps et dans la plus grande cacophonie. Leur grand-père met un doigt autoritaire sur ses lèvres pour leur imposer le silence. Une fois le calme revenu, il s'adresse à ses petits-fils.

— J'ai l'impression que vous n'êtes pas si assoiffés que ça. Je me trompe?

— À vrai dire, je cherchais un moyen de nous éclipser tous les trois pendant quelques minutes, répond Nathan, sous le ton de la confidence.

— Et quel est le but de cette escapade? s'enquiert Jean-Roch en se dirigeant vers l'ascenseur.

— Les murmures ! répondent à l'unisson les deux cousins.

— Je les ai encore entendus alors qu'on s'apprêtait à regarder la collection avec les copains, dit Nathan.

— Et moi aussi, je les ai entendus cette fois, grand-papa ! poursuit Zack d'une voix fébrile. Qu'est-ce que c'est ? Les chuchotements se produisent chaque fois que nous sommes en contact avec ta collection.

— Mais d'où viennent ces voix ? demande Nathan.

Le grand-père ne semble pas troublé par cette étrange situation. Posément, les mains derrière le dos et un sourire en coin sur le visage, il répond :

— Qu'est-ce que vous en pensez, les garçons ? Tout cela semble lié : les cartes, les murmures...

Nathan s'arrête net.

— Crois-tu que ce soit le résultat de ma demande, grand-papa ? Mon souhait a été exaucé ?

— Je ne sais pas... vraiment pas... dit-il, soudainement songeur. Pour l'instant, allons chercher les breuvages et retournons nous amuser. Mais restons à l'affût. J'ai l'impression qu'une grande aventure nous attend.

Quelques minutes plus tard, les trois complices retournent à l'étage les bras chargés de bouteilles. Avant d'entrer dans la chambre, Jean-Roch se tourne vers ses petits-fils.

— Les garçons, je peux vous confier une mission ?

— Laquelle, grand-père ?

— Choisissez une carte de hockey et apportez-la pour le match contre les Bruins.

Surpris, les deux cousins acquiescent. L'aïeul prépare manifestement un plan, mais les garçons n'osent le questionner davantage.

En ouvrant la porte, les trois ne peuvent s'empêcher de sourire. Éric, Marc et Mario sont eux aussi étendus sur les lits à regarder les cartes, comme des enfants émerveillés devant leurs cadeaux de Noël. Les adultes semblent profiter davantage du trésor que les ados, parlant de statistiques, de jeux de passes et de buts mémorables marqués au fil des années.

L'après-midi s'écoule sans que personne ne s'en aperçoive. Le temps de se préparer pour la soirée exceptionnelle arrive enfin. D'un commun accord, le groupe décide d'aller manger dans un resto situé près du Centre Bell. Ensuite, après avoir récupéré les billets, ils prendront place en attendant le début du match. Un même désir anime Zack, Nathan, William, Laurier et Joey : crier leur grande admiration, à pleins poumons, entourés des plus fervents partisans.

Chapitre 6

Une soirée
au Centre Bell

La joyeuse troupe arrive tôt afin de pouvoir s'installer confortablement et s'acheter des breuvages, du pop-corn et des croustilles. Ils avaient, certes, très bien mangé au restaurant... mais selon Zack et ses amis, il reste toujours de la place dans l'estomac pour de bonnes grignotines! Plongeant la main dans les sacs graisseux, les quatre amis engloutissent avec satisfaction des poignées de pop-corn sous l'œil impressionné des adultes qui se demandent bien où ils peuvent mettre toute cette nourriture. Ainsi installés, les huit spectateurs assistent à la période d'échauffement. Puis la resurfaceuse entame sa longue danse sur la patinoire. À ce moment, Zack sent un frisson lui parcourir le corps tout entier. La vue de ce véhicule lui rappelle son enlèvement par l'entraîneur des Tigres de Sablon[1]. Son père, le sachant

---

1 Voir *Suspense à l'aréna*, tome 2, 178 pages, Éditions du Phoenix.

encore fragile, passe discrètement son bras autour des épaules du jeune joueur.

— Ça ira, mon gars, lui souffle-t-il à l'oreille d'une voix rassurante.

Il est maintenant dix-neuf heures, le match commencera sous peu. Dans tout l'amphithéâtre, la voix officielle du Canadien souhaite la bienvenue aux spectateurs. Après la présentation de l'alignement initial des deux équipes, et l'exécution des hymnes nationaux canadien et américain, l'arbitre jette la rondelle. Le spectacle peut commencer!

Les garçons, aux anges, voudraient regarder avec huit paires d'yeux pour tout capter sur la patinoire, l'écran géant et les gradins. Ce soir, leurs idoles fourmillent sur la glace. Ils passent, déjouent, se serrent dans les coins, s'élancent de tous côtés. Leur gardien de but arrête toutes les rondelles semblable à une pieuvre tellement il couvre bien son filet. La foule est littéralement en délire. Tout le monde crie à tue-tête. Les vagues humaines n'en finissent plus de déferler, et nos joyeux lurons se laissent allègrement emporter par la houle, ou plutôt par le raz-de-marée. Partout autour d'eux s'étend une mer de chandails rouges ou blancs, tous ornés du logo de leur équipe favorite. Zack arbore fièrement son chandail du Rocket, celui-là même que son père lui a donné.

À la fin de la première période, le Canadien a pris les commandes du match. Le pointage est de deux à zéro pour Montréal. Joey, William et Éric profitent de la pause pour aller aux toilettes, tandis que Laurier veut partir à la découverte du Centre Bell. Marc et Mario se chargent de cette mission et invitent les autres à se joindre à eux. Zack et Nathan déclinent l'offre.

— Allez-y. Nous sommes trop fatigués... Nous préférons rester ici avec grand-papa.

Marc lance un regard soupçonneux à son fils. Le père sait reconnaître un mensonge quand il en entend un, et il voit bien que les cousins et leur grand-père lui cachent quelque chose. Néanmoins, il reste silencieux et s'éloigne en compagnie de Laurier et de l'entraîneur des Requins pour arpenter les couloirs de l'amphithéâtre.

— Bon! Nous voilà seuls, dit Jean-Roch en se frottant les mains. Avez-vous apporté vos cartes?

— Comme tu nous l'as demandé, répond Nathan en exhibant sa carte de Georges Vézina.

— Moi, j'ai emmené le Rocket! dit Zack en sortant la carte de la poche de son manteau. Et toi, grand-papa, qui as-tu choisi?

— Nous devons avoir des atomes crochus, fiston, car moi aussi j'ai pris Maurice Richard!

— Vous êtes drôles, dit Nathan.

— Attends, poursuit le grand-père. Ce n'est pas tout. J'ai aussi emmené Toe Blake et Aurèle Joliat.

Un concert d'exclamations interrompt leur conversation. La deuxième période va commencer dans quelques minutes et tous les spectateurs restent aux aguets, ne voulant rien manquer.

Le sifflet sonne la reprise du match. Boston tire de l'arrière par deux buts et les joueurs se donnent corps et âme sur la patinoire. Le jeu s'avère également beaucoup plus robuste. Devant ce spectacle, les souvenirs assaillent Jean-Roch. Il songe à la longue rivalité qui oppose les deux équipes depuis de si nombreuses années. Après plus de six cents affrontements, cette férocité réciproque paraît presque naturelle. Le grand-père revoit entre autres l'émeute du Forum, causée par l'expulsion du Rocket à la fin de la saison et des séries éliminatoires, et survenue pendant un match contre Boston en 1955. Malgré l'absence de Richard, le Canadien avait tout de même remporté la Coupe Stanley.

Jean-Roch croit revenir à la réalité en entendant la voix du commentateur, mais, ô surprise, c'est la voix de Michel Normandin qu'il reconnaît, la « voix officielle » du

Canadien pendant les années 40 ! Il y a bel et bien une échappée sur la glace effectuée par les joueurs du Canadien actuel, elle se déroule sous ses yeux, présentement, mais la description qu'entend le grand-père à l'intérieur de sa tête parle plutôt d'une échappée extraordinaire de la « punch line » qui se conclut avec un superbe but du Rocket. La voix s'élève si clairement, elle semble tellement réelle... Jean-Roch effleure la poche de sa chemise du bout des doigts pour toucher ses cartes. Nathan et Zack voient le mouvement discret de leur grand-père, mais n'y prêtent pas trop attention. Le Canadien vient de marquer et l'euphorie s'est emparée de tous les partisans. Les garçons s'éjectent tous de leur siège simultanément. Eux aussi crient à en perdre la voix. Leur équipe mène maintenant trois à zéro.

Tout le monde se rassoit pour la suite du match. Lorsque le bruit de la foule s'atténue, Nathan et Zack commencent à percevoir des murmures. Bizarrement, ils semblent beaucoup moins lointains et les voix sont un peu plus claires. Les deux distinguent même le mot « Forum ». Ils échangent immédiatement un regard. Ça recommence! Ils se retournent vers leur grand-père. Il arbore un sourire béat, et ses yeux fixent un point vague devant lui, perdus, ailleurs...

— Tu as entendu, grand-papa, les murmures?

— Non, mais j'ai mieux que ça, les enfants, déclare Jean-Roch en émergeant de sa rêverie.

— Qu'est-ce qui se passe? questionne Zack à son tour.

— Je vais pouvoir vous le dire à l'entracte. Éclipsons-nous au coup de sifflet sans attendre personne, direction les toilettes! Ça vous va?

Le deuxième tiers se termine rapidement, et les trois complices s'évanouissent immédiatement dans la foule, sans même aviser les autres. Arrivé aux toilettes, Jean-Roch les somme de sortir leur carte de hockey. Il prend alors les cinq cartes, soit les trois siennes et celles de ses petits-fils, et les observe attentivement. Après un moment, il saisit la carte de Georges Vézina et la retourne pour la montrer à Nathan et Zack.

— Remarquez-vous quelque chose, les garçons ?

— Euh... balbutie Zack.

— Sa bouche ! s'exclame Nathan. On dirait qu'il sourit.

— Exactement ! Et, pour avoir scruté cette carte des centaines de fois, je peux vous dire qu'il n'a jamais arboré de sourire.

— Et les autres cartes, grand-papa, tu remarques quelque chose ? poursuit Nathan.

— Certains petits changements, mais que vous ne pourriez pas percevoir, car vous ne connaissez pas la collection comme je la connais. J'ai déjà hâte de revenir à l'hôtel pour jeter un coup d'œil aux autres cartes. Allez, retournons à nos places, la troisième période va débuter. Vous venez ?

— Juste avant, grand-papa... Crois-tu que mon souhait a été exaucé ? demande timidement Nathan.

— L'avenir nous le dira, fiston, mais je crois que nous sommes sur la bonne voie.

Tout le monde reprend sa place pour le troisième et dernier tiers de jeu. Malgré un but compté par l'attaque de Boston en supériorité numérique, le Canadien conserve son avance et remporte une brillante victoire de trois à un sur leurs rivaux! Les joueurs des Requins de Rocketville ainsi que le reste de la troupe sont ravis! Ils viennent d'assister à un match palpitant.

Ils sortent du Centre Bell tard en soirée et décident de rentrer immédiatement à l'hôtel pour se reposer. D'après Jean-Roch, une autre belle matinée les attend demain. Mais ils devront reprendre la route de Rocketville juste après le dîner. Toute bonne chose a une fin!

Chapitre 7

Le vieux Forum

Tout le monde se lève très tôt en ce dimanche matin. Encore une fois, la journée s'annonce magnifique. Les rues et les trottoirs de Montréal ont été déblayés par les employés de la ville, ce qui permettra de circuler facilement à pied et en métro. Comme Jean-Roch l'a claironné dès le réveil, direction le vieux Forum.

L'idée de pénétrer dans le lieu où se sont déroulées les premières parties des Canadiens de Montréal les enchante. Même si l'édifice n'a plus sa vocation d'antan, tous les passionnés de hockey doivent un jour s'y rendre. C'est un peu comme accomplir un pèlerinage. Et avec un guide tel que Jean-Roch, expert chevronné en l'histoire du Canadien et du hockey, la visite s'avérera certainement mémorable! La troupe s'apprête à quitter l'hôtel vers neuf heures. Juste avant de partir, grand-papa prend ses deux petits-fils à part et leur soumet son idée. Il a passé une partie de la soirée d'hier à contempler les cartes de la collection, alors que tout le monde dormait, et il a remarqué un fait intéressant : seules les cartes de ceux qu'on appelle « les fantômes » se sont modifiées, de même que celles du Rocket. Il a donc préalablement sélectionné des cartes qu'il remet à Zack et Nathan, enjoignant à ces derniers de les conserver avec eux. Il en confie également deux autres à ses fils Marc et Éric, après les avoir instruits de la situation. Ces derniers n'ont jusqu'alors entendu aucun murmure, mais ils promettent d'être vigilants. Une même excitation anime les pères et leur fils.

Le groupe marche vers l'édicule de la station de métro le plus proche et embarque sur la ligne verte, en direction d'Atwater. Ils arrivent à destination quelques minutes plus tard. Les garçons sont ravis de leur balade souterraine dans la plus grande ville du Québec. Tout le monde s'arrête devant le 2313 Sainte-Catherine Ouest, là où est érigé ce qui a longtemps été considéré comme le temple du Canadien. Bien que la fonction de l'édifice ait évolué au fil des ans, celui-ci jouit encore d'une aura particulière, comme si l'histoire qu'il incarne y avait laissé une marque indélébile.

Au moment même où le groupe parvient à proximité de l'ancien temple, les étranges murmures viennent flotter à leurs oreilles. Zack, Nathan et Jean-Roch échangent un regard à la fois complice et inquisiteur. Un coup d'œil en direction d'Éric et de Marc confirme qu'ils les entendent également. Mario, Laurier, William et Joey, quant à eux, semblent ignorer totalement le phénomène surnaturel en train de se produire et s'intéressent plutôt au bâtiment, échangeant des propos admiratifs sur sa valeur historique. Jean-Roch propose alors d'entrer.

— Il y a une boutique de sports à l'intérieur, presque entièrement consacrée au Canadien, explique-t-il d'un air jovial. Vous y trouverez sûrement de très beaux souvenirs. Tout le groupe paraît ravi de l'idée. Mais les cousins et leurs pères échangent un sourire. Cette proposition ne constitue qu'un prétexte, ils le savent. Nos héros ne perdront pas leur temps dans une boutique : ils ont un mystère à résoudre ! À peine ont-ils ouvert les portes de l'édifice que Mario, Joey, William et Laurier se ruent vers le magasin de sport. Mais les autres membres de la famille Laflamme restent immobiles, comme soudés au plancher : le murmure des voix les enveloppe, plus clair que jamais ! Plusieurs voix s'entremêlent, répétant incessamment la même phrase : « Nous sommes les fantômes du Forum. » Et le mot « Forum » se répercute dans un écho long et presque sans fin.

Les fantômes ! Immédiatement, Jean-Roch sort ses cartes de hockey de sa poche, aussitôt imité par ses fils et ses petits-fils. Chacun scrute et épie chaque détail avec la rigueur d'un détective. Soudain, des cris étouffés jaillissent de toutes les gorges.

— Ça alors, dit Éric en battant des cils, je rêve ! Newsy Lalonde m'a fait un clin d'œil !

— Tu n'es pas le seul, frérot. Joe Malone me sourit.

— Et moi, Toe Blake me salue de la main, ajoute Zack, enthousiasmé.

— Georges Vézina sourit toujours, lui aussi.

— Mon petit Nathan, lance Jean-Roch l'air incrédule. Je ne sais pas comment, ni où cela va nous mener, mais il semble que ton souhait le plus cher s'apprête à devenir réalité. Tu as été entendu, fiston !

Pétrifiés, les Laflamme se regardent, muets comme des carpes. Ils reprennent leurs esprits au moment où la tête de Joey s'extirpe du magasin pour les exhorter à les rejoindre. Après avoir flâné dans la boutique et fait quelques emplettes, le groupe convient de retourner à l'hôtel pour récupérer les bagages et payer la facture. Ils se proposent d'aller manger, puis de reprendre la route en direction de Rocketville, de manière à y parvenir en fin de journée.

Jean-Roch règle la note d'hôtel, comme convenu, pendant que chacun regagne sa chambre pour reprendre ses effets personnels. Prévoyants, les amateurs de hockey avaient déjà préparé les bagages avant de partir pour le temple. L'opération transport se déroule donc en peu de temps. Aux alentours de midi, la joyeuse bande est attablée dans un restaurant du centre-ville. Ils parlent du match de la veille, de la visite du Temple de la renommée, du vieux Forum, en fait, de tout ce qui a rendu cette fin de semaine si mémorable.

Depuis leur retour du Forum, Zack, préoccupé par la probabilité que le vœu de son cousin se réalise, se tortille sur sa chaise, impatient de jeter un œil vers les cartes. Contrarié, il n'ose le faire devant ses amis. Après quelque temps, il parvient malgré tout à se concentrer sur la conversation. Son grand-père raconte l'histoire du Forum, à la demande expresse des garçons, vivement intrigués par leur visite.

— Eh bien, mes enfants, la construction du Forum remonte à 1924 et à l'époque, l'édifice a coûté un peu plus de 400 000 dollars. Les Canadiens y ont disputé leur premier match contre les St-Pats de Toronto. À l'origine, l'endroit avait été construit pour les Maroons, mais comme l'aréna du Plateau Mont-Royal, leur domicile de l'époque, avait été détruit dans un incendie, le club y avait fixé ses pénates. Au fil des années, poursuit Jean-Roch, le Forum devint le lieu de résidence de divers clubs, dont les Maroons, le Canadien junior, le Bleu-Blanc-Rouge, les Roadrunners, le Junior de Montréal et, bien évidemment, le Club de hockey Canadien!

— Ça alors, vous en savez des choses, monsieur Laflamme! dit Joey d'une voix remplie d'émerveillement.

— Et tu n'as encore rien entendu, ajoute Nathan. Si tu savais tout ce qu'il peut raconter à propos des joueurs!

— Mon grand-père, c'est une encyclopédie sur deux pattes pour tout ce qui concerne le hockey! déclare fièrement Zack.

— Merci, les garçons. Il me reste peu de choses à ajouter sur le bâtiment lui-même, sinon qu'il a fermé ses portes en 1996, après soixante-douze ans d'histoire. Le dernier match s'y est déroulé le 11 mars contre les Stars de Dallas. Le Canadien a tourné cette page de son histoire en remportant le match quatre à un. Le Rocket a d'ailleurs reçu une ovation de plus de dix minutes ce soir-là. Finalement, en 1997, on reconnaissait le Forum comme un lieu national historique du Canada. Vous comprenez maintenant mieux son importance dans l'histoire de notre pays.

L'occasion est trop belle pour la laisser passer! pense Zack. S'efforçant de prendre un air décontracté, mais sachant bien que son grand-père comprendra où il veut en venir, le garçon demande :

— Au fait, grand-papa, que connais-tu des fantômes du Forum ? Nathan, Marc et Éric arrêtent en même temps de mastiquer, très attentifs. Sans se douter de la véritable raison de cette question, tous les copains supplient Jean-Roch de leur donner cette petite leçon d'histoire.

— Oh oui! Monsieur Laflamme! Racontez-nous!

Jean-Roch reste immobile quelques instants. Il esquisse un clin d'œil à ses fils et à ses petits-fils, puis il se racle la gorge :

— Ah! Les fantômes du forum... Ce petit groupe de joueurs hante le bâtiment depuis des décennies. La légende veut qu'ils soient retournés dans leur vestiaire après leur mort, plutôt que d'aller au paradis, avec

86

l'ultime but d'aider leur équipe. Ce groupe sélect est composé de Georges Vézina, Newsy Lalonde, Joe Malone, Howie Morenz, Aurèle Joliat, Toe Blake, Bill Durnan, Jacques Plante et Doug Harvey.

— Et Maurice Richard, est-il un fantôme ? s'enquiert Zack.

— Non, le Rocket n'en fait pas partie.

— Pourquoi donc ? interroge le capitaine des Requins, étonné.

— Parce que les fantômes qui hantent le Forum sont morts au moment où celui-ci constituait encore le domicile du Canadien. Lorsque le Rocket est décédé, l'équipe avait déjà déménagé au Centre Bell. Comme il n'y a jamais joué, il ne peut le hanter.

— On aurait pourtant besoin de lui de temps en temps ! lance William à la blague.

— Qui sait ? répond Jean-Roch. Je me plais à croire que le Rocket veille au grain, qu'il veille à sa manière aux succès de son équipe.

— Que savez-vous d'autre, monsieur Laflamme ? demande à son tour Mario, leur entraîneur.

— Ce que la plupart des passionnés en savent : Les fantômes visiteraient les couloirs du Forum à différents moments de la saison, mais surtout durant les séries. La légende veut que la plus grande victime des fantômes ait été Don Cherry, l'ancien entraîneur des Bruins de Boston, car son équipe ne réussissait jamais à vaincre la Sainte Flanelle en éliminatoires. Pour le reste, il vous faudra faire vos propres recherches, les garçons, si vous voulez en connaître un peu plus sur chaque fantôme. En vous y appliquant sérieusement, vous ferez de magnifiques découvertes.

— Ajoute encore quelques détails, s'il te plaît, papa! demande Éric, l'air suppliant. S'il te plaît!

Les autres auditeurs se joignent à lui et pressent Jean-Roch de continuer son récit.

— Puisque vous insistez, dit-il, amusé. Allons-y! Il existe neuf fantômes. Georges Vézina, un joueur originaire de Chicoutimi, était gardien de but et portait le numéro 1.

— Ça, je le savais! déclare fièrement Joey. Il y a même un aréna qui porte son nom, chez nous, au Saguenay.

— Effectivement! Il a joué au niveau professionnel pendant seize saisons. Après sa mort, la LNH a créé un trophée en son honneur pour récompenser le meilleur gardien de but de chaque saison. Le Temple de la renommée a accueilli Vézina dès son ouverture en 1945.

Le serveur interrompt la conversation pour prendre la commande puis retourne vers la cuisine. Jean-Roch continue sur sa lancée.

— Newsy Lalonde, le numéro 4, un des joueurs les plus punis de la LNH, occupait la position de centre. Il avait la réputation d'avoir un sale caractère! précise le conteur en riant. Il a fait ses débuts en 1909. Il a été échangé une première fois par le Canadien, mais cela ne l'a pas empêché de revenir ensuite à titre de capitaine. Par la suite, il fut l'objet d'une seconde transaction avec une équipe de Saskatoon. Le Canadien obtenait Aurèle Joliat en retour.

— Un fantôme contre un autre fantôme! s'exclame Mario.

— Exact. Lalonde est par contre revenu une dernière fois avec le Canadien à titre

d'entraîneur. C'était un des meilleurs marqueurs de son époque et l'un des *Flying
Frenchmen.*

— Ce terme a été repris dans les années
soixante-dix pour désigner Béliveau,
Lafleur et Cournoyer, remarque Mario,
fier de montrer un peu aux jeunes Requins
ses connaissances historiques. Lalonde a
été intronisé au Temple de la renommée
en 1950 et il est mort en 1971.

Jean-Roch hoche de la tête, le temps
d'avaler une bouchée de pain apporté par
le serveur, puis il poursuit :

— Aurèle Joliat, puisqu'on en parlait,
occupait le poste d'ailier gauche et portait
également le numéro 4. Impopulaire à ses
débuts, il est vite devenu très en vogue
auprès des partisans, car il alliait robus-
tesse, vitesse, intelligence et agilité. Ces
qualités lui ont d'ailleurs valu le surnom
de *Mighty Atom*. À sa deuxième saison,
Joliat jouait en compagnie de Howie
Morenz. À eux deux, ils formaient un duo
exceptionnel !

— En quelle année a-t-on intégré Joliat
aux autres héros du Temple ? demande Éric.

— Hum... en 1947, je crois, coupe le serveur en plaçant les assiettes sur la table.

Tous les regards se tournent vers le nouveau venu. Jean-Roch tape dans ses mains, heureux de la réplique.

— Vous avez parfaitement raison, monsieur, ajoute-t-il en tendant la main vers son verre d'eau. À l'âge de quatre-vingt-trois ans en 1984, il a joué pour la dernière fois sur la glace du Forum pour le 75e anniversaire du club, et il a déchaîné la foule en parvenant à déjouer Jacques Plante.

— À son âge ! s'écrie Laurier.

— Certainement, il a d'ailleurs patiné jusqu'aux derniers jours de sa vie sur le Canal Rideau, tout près de chez lui. Il nous a quittés en 1986.

— Ça alors ! lance William, fasciné par les propos du grand-père de ses deux amis.

Les joyeux convives se taisent un moment pour s'attaquer à leur plat. Mais le silence reste de courte durée.

— Comme je vous disais, reprend Jean-Roch en avalant sa dernière bouchée, Joliat a joué avec Howie Morenz, le joueur de centre, numéro 7. Dès ses débuts, la LNH l'a reconnu comme l'un de ses meilleurs marqueurs.

— Morenz a d'ailleurs été le premier joueur à voir son numéro retiré par les Canadiens, renchérit Mario. Je me rappelle aussi qu'on le surnommait le *Mitchell Meteor*, parce qu'il récoltait les buts et remplissait les arénas partout où il jouait.

— Tu as encore raison, Mario, déclare Jean-Roch. Morenz est décédé en 1937, et il a été intronisé lui aussi en 1945 dès l'ouverture du Temple de la renommée. Bon, ça suffit maintenant. Je crois que je les ai tous passés en revue, non ?

— Non, pas tous, répond Mario. Tu as oublié Malone, Durnan et quelques autres.

— On peut continuer d'écouter en mangeant un dessert, qu'en dites-vous ? propose Joey.

L'idée plaît unanimement. Les garçons réclament tous un dessert. Jean-Roch fait signe au serveur et chacun choisit ce qu'il préfère. Lorsque tous les visages sont barbouillés de caramel et de chocolat, on supplie Jean-Roch de poursuivre son histoire.

— J'ai la gorge desséchée, répond celui-ci en grimaçant. Mario, peux-tu prendre la relève avec Malone ?

L'attention de tous les Requins se fixe sur leur entraîneur, qui bombe le torse d'un air ravi.

— Certainement, Joe Malone, un des premiers francs-tireurs de la ligue, était le joueur de centre numéro 7. Il a détenu pendant presque trente ans le record de buts en une saison. Ce record a été battu par nul autre que… ? Avec combien de buts ?

Le sourcil en accent circonflexe, Mario regarde chacun de ses joueurs.

— Maurice Richard ! lance Joey. Avec une saison de cinquante buts.

— Exact. Il a été intronisé au Temple de la renommée en 1950 et est décédé en 1969. À toi, le prochain, Jean-Roch.

Le grand-père porte son verre à ses lèvres d'un air pensif. Il semble absorbé dans quelque souvenir heureux… mais il prend bientôt conscience des sept paires d'yeux qui le regardent, attendant la suite.

— Oh! Ah oui! Bill Durnan... ce gars-là était tout un numéro! Un cerbère difficile à déjouer. Il possédait un atout notable : son ambidextrie, qui lui permettait de changer son bâton de main dans le feu de l'action. Un joueur exceptionnel! Il a fait son entrée au Temple de la renommée en 1964 et est décédé en 1972.

— Et Jacques Plante! lance Joey. N'oubliez pas Jacques Plante!

Ses amis échangent un sourire : ils connaissent tous son admiration sans bornes pour celui qui a révolutionné le métier de gardien de but.

— C'est bien vrai! poursuit Jean-Roch, encouragé par la réponse de son jeune auditeur. En fait, Plante a littéralement « changé le visage » du hockey : nous lui devons l'invention du masque protecteur. En 1959, après un accident où il avait reçu une rondelle en plein visage, ce qui avait nécessité plusieurs points de suture, il a refusé de retourner sur la patinoire, à moins qu'on ne lui donne le droit de porter son masque. Il le portait déjà pendant les entraînements, mais la direction lui en interdisait l'emploi pendant les matchs officiels. Toe Blake, son entraîneur, n'ayant pas d'autre gardien sous la main, a cédé devant l'insistance de Plante. La suite fait partie de l'histoire !

— Il a aussi été l'un des premiers gardiens à sortir de son filet pour récupérer la rondelle, déclare Mario. Désolé, Jean-Roch, ajoute-t-il avec un sourire gêné, mais il fallait que je place mon grain de sel. En 1961, Jacques Plante devenait le premier gardien de but à remporter les trophées Vézina et Hart dans une même saison. Il a rejoint les héros du Forum en 1978 et nous a quittés en 1986.

— Voyons, qui d'autre ? se demande à haute voix Jean-Roch. Ah oui ! Doug Harvey, le numéro 2, le premier défenseur offensif de l'histoire du hockey. Un exemple qui a été suivi par bien des joueurs. Il a réécrit le livre des records à lui seul dans toutes les catégories de statistiques. Harvey a été admis au Temple de la renommée en 1973. Il est mort en 1989.

— Te souviens-tu de Toe Blake ? demande Mario. Quel entraîneur !

— Hector « Toe » Blake a été joueur et entraîneur et il s'est démarqué dans ces deux rôles. Après avoir fait les belles années de la « punch line » aux côtés de Richard et de Lach, portant le numéro 6, il a été nommé entraîneur en 1955. Sous sa gouverne, le Canadien est devenu une dynastie du hockey, en remportant la Coupe Stanley cinq années de suite. En tant que joueur, son unité d'attaque est considérée comme la meilleure unité offensive du hockey. Ouf, j'aimerais bien continuer les garçons, mais j'ai la gorge aussi sèche que le désert du Sahara!

— Merci, grand-papa, c'était super intéressant! dit Zack.

— Ça me fait plaisir, les garçons! Maintenant, payons et reprenons la route. Il nous faut rentrer à présent. J'espère que vous avez bien écouté, car vous passerez un examen pendant le trajet jusqu'à Rocketville...

Pendant quelques secondes, tous les joueurs des Requins restent muets, comme foudroyés. Mais en voyant la tête de monsieur Laflamme, ils comprennent rapidement qu'il s'agit simplement d'une bonne blague, et tous éclatent de rire. Ouf!

Chapitre 8

Retour
à Rocketville

Le retour à la maison se passe sans encombre. En cours de route, les jeunes garçons décident de rejoindre le reste de leurs amis de Rocketville. À l'heure où ils arriveront, ceux-ci seront certainement engagés dans un match amical sur le lac, comme tous les dimanches. Chacun ira chercher casque, patins et bâton et le groupe se retrouvera sur la patinoire naturelle pour la partie improvisée. Aucune perte de temps ! Beaucoup de plaisir en perspective.

Chez les Laflamme, Hélène et Sandra, aidées de Zoé, ont concocté un bon repas pour le retour des garçons. Les parents discutent, la petite sœur joue à les imiter au moment où Nathan enfile les patins de l'arrière-arrière-grand-père et que Zack agrippe le bâton de l'aïeul. Un regard complice entre les deux cousins en dit long sur la suite. En franchissant la porte, le capitaine des Requins attrape au passage son chandail du Rocket qu'il enfile avec plus de fierté encore qu'auparavant.

Les garçons s'amusent comme des fous, et les autres Requins écoutent avec intérêt les deux cousins, ainsi que William, Laurier et Joey leur raconter une fin de semaine qu'ils qualifient tous d'épatante, d'enrichissante et d'inoubliable. Bien entendu, Zack et Nathan omettent les événements relatifs à leur collection de cartes de hockey et le souhait formulé par Nathan. Finalement, après avoir feinté, déjoué et marqué pendant plus d'une heure, les joueurs observent la noirceur tomber doucement. Le temps arrive pour tous les petits Richard, Harvey, Blake et autres de rentrer. Demain, c'est lundi, ce qui veut dire : l'école, les devoirs, les corvées. Heureusement que les pratiques et les matchs avec les Requins perdureront ! Chacun rentre chez soi.

La routine reprendra tôt demain matin, et de toute évidence, la fatigue a rattrapé les garçons, ados et adultes. Tout le monde réclame une bonne nuit de sommeil. Avant de se quitter, les cousins s'entendent pour laisser la collection de cartes ici cette nuit. Demain, tout de suite après l'école, Nathan viendra à la maison et on avisera. Par simple précaution, ils grimpent la boîte et son contenu sur la tablette supérieure de la garde-robe, loin des yeux curieux, mais surtout loin des mains aventureuses de Zoé.

— Vaut mieux prévenir... dit Zack en souriant.

— Parfaitement d'accord, réplique aussitôt Nathan. Je ne voudrais surtout pas surprendre ta petite sœur la main dans le sac...

— ...ou dans la boîte!

Sur un éclat de rire, les deux cousins se quittent pour la nuit.

Dès que la porte se referme, Zack saute dans la douche pour ensuite aller dormir. Nathan agit de même, à une différence près : il dépose, sous son oreiller, la carte de Georges Vézina. La tête sur l'oreiller, il perçoit un léger murmure qui bourdonne à ses oreilles. Il s'endort aussitôt.

Chapitre 9

Nuit de rêve
ou rêve d'une nuit?

Nathan sombre immédiatement dans un rêve où tout se déroule en noir et blanc. Cela lui paraît normal. Il s'appuie sur ses paumes et se redresse dans son lit, jetant un regard circulaire autour de lui. Étonnamment, lui seul est demeuré en couleur. Sa peau, ses vêtements, rien n'a changé. Au fond de la pièce se découpe parmi des traînées brumeuses un téléviseur, un vieux modèle des années cinquante coiffé de deux tiges métalliques. L'écran est noir. Nathan se lève, s'approche de l'appareil et l'examine longuement. Comment l'allumer sans télécommande? Il voit deux énormes roulettes sur lesquelles on peut lire UHF, VHF ainsi que des chiffres. Il les tourne. Des images à peine visibles envahissent l'écran. L'appareil crache un son médiocre et dissonant.

Nathan s'assoit par terre, devant le poste. Ses yeux prennent un certain temps à s'habituer à la qualité de l'image. Des scènes de hockey d'une autre époque défilent sous ses yeux. Il ne reconnaît pas les joueurs, mais selon les commentateurs, il assiste aux exploits de héros d'un autre temps. Les noms sont évocateurs : Vézina, Malone, Morenz. *Certains de ces joueurs jouaient avant même l'invention de la télévision*, songe Nathan. La plupart de ces jeux, buts ou arrêts spectaculaires n'ont pu être commentés qu'à la radio. Mais c'est sans importance. Immobile, hypnotisé par les jeux incroyables qui se déroulent sous

ses yeux, il retient son souffle. Comme il aimerait partager cet instant avec Zack ou encore avec ses amis !

Au bout d'un temps impossible à évaluer, Nathan allonge son bras pour changer de chaîne. Intuitivement, il tourne une des roulettes. Au bout de quelques clics, une autre image apparaît à l'écran. Cette fois, nul besoin du commentateur pour reconnaître le joueur. Les images parlent d'elles-mêmes. Le Rocket fonce vers le filet et dans les estrades, la foule en délire se lève. Richard s'avance et marque un but du tonnerre ! Puis un autre et encore un autre ! Puis les images de l'émeute du Forum envahissent l'écran. L'excitation inhabituelle de la foule lui suggère qu'il assiste à un événement historique. Le hockey transporte les partisans. Pendant un court instant, Nathan se retrouve parmi eux, il joue des coudes, des mains, se débat dans la mêlée générale, puis un étau lui serre la gorge. Enfin, au moment où il craignait d'être écrasé, il se sent extirpé de l'inconfortable bataille par une main invisible. Revenu devant le téléviseur, il respire à petits coups saccadés.

Nathan reprend doucement ses esprits, avant de tourner à nouveau la roulette. Une image floue s'éclaircit graduellement pour dévoiler un garçon, dont les traits lui semblent familiers, assis sur un lit recouvert d'un édredon, qui tient une petite boîte sur ses genoux. L'enfant ouvre la boîte et en regarde le contenu.

— Oui, Nathan, c'est bien moi!

Le garçon pivote sur lui-même et il aperçoit son grand-père.

— Grand-papa? Que fais-tu, ici, dans mon rêve?

— À toi de me le dire. C'est ton rêve!

— Est-ce bien toi, à la télé?

— J'ai vécu cette scène il y a bien longtemps. Mon père m'avait offert cette boîte pour y ranger ma première carte. Ce cadeau m'a motivé à débuter ma collection... je veux dire la vôtre, à Zack et toi.

— Tu me ressembles...

— Non, répond Jean-Roch en riant, c'est plutôt toi qui me ressembles, fiston!

Nathan tourne à nouveau l'énorme roulette du téléviseur. L'image rétrécit jusqu'à disparaître dans un épais brouil-lard, puis tout devient noir.

— Dis, grand-papa, tu crois que mon souhait sera exaucé ?

— Qu'en penses-tu ?

— Je ne sais pas, dit le garçon en bais-sant les yeux, fixant le bout de ses pieds.

Lorsqu'il relève la tête pour regarder son grand-père, ce dernier a disparu. Avec un soupir, le jeune rêveur retourne dans son lit. Soudain, les murmures reprennent avec plus d'intensité. Les voix deviennent plus claires. Une en particulier s'élève parmi les autres :

— Nathan, les fantômes quitteront leur demeure pour disputer un match avec toi, ta famille et tes amis dans la nuit de ven-dredi à samedi prochain à minuit précis, sur le lac à Rocketville.

La déclaration retentit comme un immense gong aux oreilles du rêveur. Ses membres semblent se transformer en plomb tant ils s'appesantissent. Mais mal-gré la stupeur qui le saisit, il s'entend répondre, d'un air suppliant :

— Et le Rocket, il viendra lui aussi ? Je sais qu'il ne fait pas partie de votre club, mais...

— Sois sans crainte, il honorera votre village de sa présence. Cependant, tu dois garder le secret absolu.

La voix s'éteint au moment où Nathan ouvre les yeux. Il tourne la tête et regarde l'écran lumineux de son réveille-matin. Ce dernier indique six heures trente. Déjà l'heure de se lever... mais il ne peut bouger, paralysé par ce qui vient de se passer. Nathan accuse le choc. Des sueurs perlent sur son front. Ses jambes et ses bras lui paraissent lourds. Le garçon se masse la nuque en réfléchissant. Les fantômes lui ont-ils vraiment parlé ? A-t-il imaginé tout ça ? Et son grand-père... était-il vraiment là ? Que faisait-il dans son rêve ? Vite, il faut l'appeler ! Après un effort surhumain, Nathan sort enfin de son lit. Il entend sa mère s'activer à la cuisine. Il la rejoint immédiatement pour lui demander la per-mission d'appeler son grand-père.

— Nathan, il n'est même pas sept heures. Grand-papa a sûrement besoin de se reposer. Il n'a pas ton âge, tu sais.

— Mais maman, c'est très important !

— Attends un peu. Tu téléphoneras vers sept heures. C'est déjà plus raison...

Interrompue par la sonnerie du téléphone, Sandra sursaute puis décroche le combiné. Jean-Roch la salue et demande de parler à son petit-fils. « Décidément, quand on parle du loup... », pense-t-elle en tendant l'appareil à son fils qui s'éloigne en le portant à son oreille.

— Grand-papa ?

— Salut, Nathan ! Bien dormi ?

— Est-ce que tu étais vraiment là ? Je n'ai pas rêvé ? Je veux dire...

— Oui, Nathan, tu as rêvé, mais j'étais bien là. Par contre, ma disparition s'est révélée aussi subite que mon apparition. Que s'est-il passé après ? T'es-tu volatilisé à ton tour ?

Au moment de répondre à son grand-père, Nathan se souvient des propos de la voix. Tout doit rester secret. Il se sent coupable de mentir, mais il ne veut pas contrevenir aux instructions données.

— Rien de bien important, grand-papa... laisse-t-il tomber. Je me suis réveillé tout de suite après ton départ.

— Eh bien! poursuit Jean-Roch, d'un air pensif. Si tu le dis... Passe une bonne journée à l'école, fiston.

— Merci, grand-papa. À bientôt!

Nathan referme le téléphone, songeur lui aussi. Une chose demeure certaine : peu importe la tournure que prendront les événements, de belles aventures l'attendent. « Quelle chance de jouer une partie avec les fantômes et le Rocket », pense le garçon.

— Dépêche-toi de déjeuner, Nathan, lance soudain sa mère en déposant son assiette sur la table. Tu ne dois pas être en retard.

Le sourire aux lèvres, le garçon obéit, mais ses pensées sont ailleurs. « Vivement cette nuit de vendredi! »

Jean-Roch, pour sa part, reste perdu dans ses pensées. Il comprend, sans savoir pourquoi, que son petit-fils n'a pas dit toute la vérité. Pour quelle raison? La réponse viendra tôt ou tard.

Chapitre 10

Une décision
de collectionneurs...

Nathan se rend à l'école très tôt. Comme chaque jour, il rejoint Zack et toute la bande pour jouer au hockey avant le début des classes. Ce matin, par contre, il traîne la patte. Le chemin à parcourir lui donne le temps de réfléchir, et il veut faire le point sur les événements récents. À son arrivée à Rocketville, il s'était promis de toujours dire la vérité... et maintenant, il ne peut pas. Il n'a pourtant pas le choix, la demande de la voix entendue dans son rêve prévaut s'il veut que son souhait se réalise. C'est le prix à payer. « Pour aujourd'hui », pense Nathan, « je vais me concentrer sur la collection de cartes avec Zack. Ça m'occupera l'esprit... »

Il émerge de sa rêverie et au même moment, il aperçoit, juste au carrefour, la cour d'école. Les joueurs des Requins s'activent déjà sur la patinoire. William, sur une lancée, se présente devant Joey, glisse sur ses bottes et lance du revers pour déjouer le gardien. Le disque se loge... entre les deux poteaux de la clôture ! Quel jeu incroyable !

Zack, apercevant son cousin, se dirige vers lui en courant, son bâton de hockey à la main.

— Salut, Nath ! En forme ? Tu viens toujours à la maison après l'école ?

— C'est sûr ! J'ai tellement hâte de regarder la collection en détail, de voir toutes les cartes. De voir...

Nathan laisse sa phrase en suspens, puis se mord les lèvres. Il ne veut pas relater en public les événements survenus pendant le week-end, de peur d'être entendu.

— Je comprends, cousin, reprend Zack. Viens jouer. Nous aurons le temps de parler de ça plus tard, en rentrant à la maison.

Le capitaine des Requins, suivi de près par Nathan, s'éloigne en direction des joueurs, agrippant son bâton fermement, prêt à recevoir une passe. Comme d'habitude, il a un sourire figé sur le visage.

La cloche indiquant le début de leur journée scolaire retentit. À regret, les garçons déposent tous leur bâton près de la porte. Ils les retrouveront à la récréation, à l'heure du dîner et à la sortie des classes.

Des millions d'heures plus tard, du moins selon l'évaluation du temps de Nathan et de Zack, la cloche sonne enfin. Les voilà libres ! Les deux cousins refusent l'invitation à jouer dans la cour de Laurier, tant ils ont hâte d'aller admirer leur fabuleux héritage.

Ils arrivent rapidement chez Zack, essoufflés d'avoir couru une bonne partie du trajet. La maison est vide. Hélène et Marc travaillent encore. Ils reviendront vers cinq heures avec Zoé, qui s'amuse au service de garde. Les cousins disposent donc d'une bonne heure et demie de plaisir en compagnie de tous leurs joueurs préférés et de tous ceux qu'ils doivent encore découvrir.

Rapidement, ils se rendent à la cuisine, engloutissent des biscuits et un grand verre de lait. Déposant leurs verres sur le comptoir, ils s'esclaffent en voyant la moustache blanche qui orne chacune de leur figure. Essuyant le tout du revers de la manche, les deux garçons se précipitent vers la chambre de Zack.

Une fois sur place, les garçons entendent immédiatement les murmures. Zack ouvre la porte de sa garde-robe et les voix s'intensifient. Joyeux et excité, il se retourne immédiatement vers Nathan. Il demeure surpris de voir que ce dernier ne semble pas entendre le concerto certainement perceptible à ses oreilles.

— Viens Nath, aide-moi à descendre la boîte.

— J'arrive, dit mollement son cousin.

Sans entrain, Nathan rejoint son cousin.

— Ça ne t'excite pas plus que ça ? Tu as été le premier à entendre les murmures et là, on dirait presque que ça te dérange.

— Peut-être que je m'habitue...

— Voyons donc ! Comment peut-on s'habituer à une chose pareille ? Même ton père et le mien restent surpris chaque fois.

Nathan hausse les épaules, mais ne répond pas. Comment pourrait-il avouer à

Zack qu'il est attristé par un mensonge, sans précisément lui révéler le secret des fantômes? Toutefois, Zack n'insiste pas. Il récupère la boîte et, aidé de son cousin, la dépose sur le lit. Aussitôt, comme par enchantement, les deux garçons oublient la présente conversation et se laissent absorber par les merveilles de la collection. En contemplant les cartes des fantômes, Nathan constate qu'il se tourmente pour rien. Après tout, il ne ment pas. Il passe sous silence un événement extraordinaire à venir. De plus, peut-être qu'il s'imagine des choses. Il y a bien son grand-père comme témoin de son rêve, mais bon...

Ses pensées sont interrompues par la voix de Zack.

— Que faisons-nous pour la collection, Nath?

— Il va falloir choisir si nous la dissimulons chez toi ou chez moi.

— Et nous décidons comment? poursuit Zack.

— La solution doit s'avérer équitable pour nous deux, tu comprends?

— Oui, je vois. Ça nous prendrait un endroit...

— J'ai une idée ! le coupe Nathan.

— Dis-moi, je t'écoute.

— Nous pourrions la déposer au grenier, dans l'armoire où est entreposé l'équipement. Nous pourrions la consulter ensemble. Et elle serait à l'abri de ta sœur.

— Génial ! réplique Zack.

— Parfait, alors ! Marché conclu.

— J'y pense, poursuit le capitaine, grand-papa nous a légué un héritage remarquable, mais il nous incombera de nous en occuper.

— La continuer, tu veux dire ? demande Nathan.

— Précisément ! Avec tous les joueurs de talent que nous retrouvons aujourd'hui dans la Ligue nationale, ce serait un péché de ne pas perpétuer la passion de grand-papa.

— En plus, ton père et le mien voudront sûrement nous aider !

Tout à coup, les garçons entendent ouvrir la porte d'entrée. Hélène, Marc et Zoé sont de retour. Mus par le même instinct de sécurité, les cousins se hâtent de ranger tous les cartables dans la boîte. Zoé fait irruption dans la chambre de son frère au moment où ce dernier referme le couvercle.

— Salut! C'est moi! dit-elle d'une voix chantante. C'est quoi ça?

— Rien de bien intéressant, répond Zack en se dirigeant vers sa petite sœur pour la prendre dans ses bras.

— Je veux voir! rétorque Zoé.

— Y'a rien à voir, coquine.

Les parents arrivent sur ces entrefaites. Marc sourit en voyant Nathan surveiller la boîte du coin de l'œil pendant que son fils occupe Zoé. Hélène ne remarque rien. Elle dépose un baiser sur le front de son fils, salue son neveu et les gratifie tous les deux d'un magnifique sourire.

— Vous avez passé une bonne journée, les garçons?

— Super! ma tante, répond Nathan.

— Oui, maman, dit Zack en déposant sa sœur qui veut tout de suite se diriger vers la boîte.

— Zoé, reprend Marc au même moment, tu dois avoir soif. Qu'est-ce que tu dirais d'un bon verre de lait?

— Oui, mais avant, je veux voir ce qu'il y a dans la boîte!

— Allez, va avec maman, poulette, poursuit son père en agitant ses doigts devant lui, sinon je vais te chatouiller.

La fillette chasse vite le contenant de son esprit. Elle préfère fuir et se blottir dans les bras de sa mère pour éviter ce supplice des plus rigolos. Hélène enlace sa petite Zoé et regarde tour à tour Zack et Nathan.

— Qu'est-ce qu'il peut bien y avoir là-dedans? Vous en faites tout un mystère.

— Rien, maman!

— Disons... murmure-t-elle, dubitative. Allez, au frigo, ma belle! Voulez-vous quelque chose, les garçons?

— Non, merci, répond Nathan. Par contre, pourrais-tu téléphoner à ma mère pour lui dire que je vais rentrer bientôt?

— Mieux encore ! Je te garde à souper. Ils viendront te chercher vers huit heures. Cela vous convient-il ?

— Oh oui ! répondent en chœur les garçons.

La mère et la fille tournent les talons et quittent la chambre. Marc reste sur place.

— Alors, que faites-vous avec votre collection ?

— Si tu veux, nous en reparlerons quand oncle Éric arrivera, dit Zack. En attendant, reste avec nous. Nous avons trouvé des cartes géniales !

Trois paires de mains se remettent à fouiner dans les cartables sans voir filer le temps. L'heure du souper arrive rapidement, et ils sont contraints de ranger le tout.

Éric arrive presque tout de suite après le repas, accompagné de son épouse, Sandra. À voir son visage, les garçons comprennent vite sa hâte de consulter à nouveau la collection. Après avoir salué le couple et échangé de menus propos avec eux, les quatre hommes Laflamme s'éclipsent. Zoé, les voyant se sauver discrètement, ne peut s'empêcher d'émettre un commentaire.

— Encore! Maman, les garçons sont toujours ensemble et moi, je ne peux jamais aller avec eux. C'est injuste!

— Je sais, ma puce, lui dit doucement Hélène. Ils semblent bien mystérieux.

— Et si on se disait des secrets nous aussi, propose Sandra pour faire diversion.

— Oh oui!

Puis, se tournant vers la bande de garçons, Zoé ajoute.

— Je vais avoir des secrets et vous ne les saurez pas!

— Pas de problème, lance Zack en riant.

— Maman! Zacko ne veut même pas connaître mes secrets...

Cette réplique et la moue piteuse de la fillette déclenchent l'hystérie générale et dans ce chaos de rires, les garçons s'éloignent en direction de la chambre de Zack.

Les deux cousins expliquent à leur père leur décision. Tous approuvent la formule :

la collection restera au grenier, à l'abri des regards curieux. Quant à l'idée d'enrichir le trésor de nouvelles merveilles, elle est acceptée à l'unanimité. Mais pour l'instant, personne ne pense à la ranger : tout le monde veut la consulter. On la dissimulera tout à l'heure, quand viendra le temps de rentrer pour Éric et Nathan.

Une heure passe et Sandra se pointe sur le pas de la porte. Elle fait remarquer à ses hommes que la soirée avance et qu'il faut rentrer, mais ces derniers l'implorent de leur accorder quelques minutes de plus. Elle cède après un moment. « Ils ont l'air tellement bien ensemble », se dit-elle en retournant au salon.

Mais bientôt, la réalité les rattrape, et la même conclusion s'impose dans les esprits : le départ ne peut être davantage différé. Il y a école demain. Pendant que Zack et Nathan finissent de ranger la collection, Marc et Éric se rendent au grenier afin d'y préparer une place pour le nouvel héritage. Ils finissent par opter pour une grande armoire ancestrale, ouvrant les portes pour que leurs fils puissent y déposer la précieuse boîte.

Au moment de refermer les battants, Nathan entend une voix lointaine lui murmurer :

— Les fantômes seront au rendez-vous vendredi...

Il regarde son père, son oncle et son cousin, mais personne ne semble avoir entendu quoi que ce soit. Ils bavardent en s'apprêtant à redescendre. Éric signifie à son fils de venir. Il est temps de partir.

Chapitre 11

En attendant samedi

La vie se déroule comme d'habitude pour la bande d'amis, à l'exception de Nathan qui se languit pour vendredi. Chaque jour lui paraît interminable. Après l'école, il joue au hockey avec les copains et avec Mario ; puis il se rend à l'aréna pour sa pratique. Il exécute machinalement ses devoirs et ses tâches quotidiennes.

Quand arrive le soir, il attend l'heure du coucher avec impatience. Sandra est surprise à tout coup de voir son fils désireux d'aller au lit si tôt. Chaque soir, Nathan espère recevoir un message des fantômes dans son sommeil. Mais la nuit de mardi passe, puis celle de mercredi, sans que rien de particulier ne survienne dans ses rêves. Le garçon désespère. Il en vient même à se demander si tout cela n'était que le fruit de son imagination. Et si les fantômes ne lui avaient jamais parlé? Et si le match tant attendu n'avait jamais lieu? Nathan ne sait plus quoi penser. Samedi approche à grands pas... qu'arriverait-il si les fantômes ne se présentaient pas au rendez-vous? Lorsque jeudi arrive, Nathan se couche très tôt, comme il le fait depuis quelques jours, et s'endort rapidement.

C'est alors que la voix tant espérée se manifeste. Cette fois, elle lui livre un message particulier.

— Nathan, il ne te reste qu'une journée à patienter. Tu as été super en gardant secrets les événements à venir. Demain, tu auras une mission un peu spéciale à remplir. Tu devras convaincre les hommes de ta famille, tes amis, de même que Mario de s'endormir avec, au pied de leur lit, patins, bâton et casque de hockey. Tu ne dois pas leur dire pourquoi, car tu sais que le secret ne doit pas être dévoilé. Ce geste de leur part s'avère pourtant essentiel, car leur participation à la partie en dépend. Tu comprends?

— Oui, je vois ce que vous voulez dire. Mais comment vais-je m'y prendre?

— À toi de trouver un moyen, jeune homme, répond la voix fantomatique. Si tu désires vraiment que ton souhait se réalise, tu y arriveras. Une dernière chose très importante, il est impératif que ton grand-père, s'endorme avec l'équipement spécial qui appartient à ta famille. Lui seul peut le porter pour notre visite.

Sur cette dernière réplique de la voix, Nathan se réveille au son du cadran qui indique l'heure de se lever. La nuit a passé très vite, mais notre petit joueur se lève d'un bond. Il est en mission et il doit trouver le moyen de convaincre tout le monde. C'est impératif !

Une fois hors du lit, il s'habille en vitesse et rejoint ses parents à la cuisine, où il s'installe pour déjeuner. Tout de suite après le repas, alors que sa mère se lève pour desservir la table, Nathan s'adresse à son père.

— Papa, j'ai quelque chose à te demander, mais j'ai besoin que tu dises oui et que tu ne poses pas de questions. Tu penses que tu peux faire ça ?

— Ça dépend. Tu as l'air bizarre ce matin, Nathan. Qu'est-ce qui se passe ?

— Je t'ai demandé de ne pas poser de questions... s'il te plait.

— Je t'écoute.

— C'est simple. J'ai besoin que tu t'endormes très tôt ce soir, maximum dix heures. Tu dois te coucher avec, au pied de ton lit, tes patins, ton casque et ton bâton de hockey...

— Quoi? Tu veux que je dise oui sans poser de questions! C'est beaucoup demander à un policier ça, fiston! Et qu'est-ce que je dis à ta mère?

— Je sais que ça paraît bizarre. Je ne peux te dire qu'une chose : ma requête est liée aux murmures et aux cartes... Maman ne doit pas savoir.

— Et à ton souhait, j'imagine... poursuit Éric dont le regard s'illumine. Tu n'avais qu'à commencer par là Nathan, ça aurait été plus simple. D'accord! Je ne pose aucune question et je vais me coucher tôt ce soir. Autre chose? Oups, désolé, c'était une question, reprend-il en esquissant un clin d'œil.

— Merci, papa, répond Nathan en souriant. Mais oui, tu peux faire autre chose pour moi. Peux-tu transmettre le message à oncle Marc ?

— Sans problème ! Je m'occupe de grand-papa aussi ?

— Non, répond Nathan, songeur. Je vais lui parler moi-même. Tu me promets de me laisser faire ?

— Je te le promets, fiston ! Je vais me coucher tôt et m'assurer que Marc en fasse autant.

Sur ces paroles, Sandra revient près des deux hommes de sa vie. Elle n'a rien entendu de leur conversation et Nathan s'en réjouit ! Il se dit que cette histoire doit rester entre les garçons de la famille, tout comme l'équipement de l'arrière-arrière-grand-père.

Puis il prend la route de l'école. Tout au long du chemin, il réfléchit à un moyen de convaincre ses amis et son cousin, sans rien laisser supposer de ce qui se trame à Rocketville. Arrivé à destination, n'ayant pas trouvé d'idée géniale, il espère qu'une occasion se présentera d'ici la fin des classes.

Nathan n'a pas à chercher bien long-temps. Par pure coïncidence ou par don du ciel, Zack a échafaudé un plan qui, sans le savoir, aidera grandement son cousin. En effet, le capitaine des Requins, avec la per-mission spéciale de ses parents, a décidé d'inviter la bande à dormir chez lui. Ils regarderont le match des Canadiens ce soir à la télé puis demain, ils joueront sur le lac. Bien évidemment, tout le groupe approuve l'idée, et l'autorisation des parents s'obtiendra facilement.

Après le discours de Zack, Nathan en profite pour ajouter :

— En plus, les gars, nous dormirons avec nos équipements au pied du lit. Comme ça, demain, nous serons prêts et qui sait, nous rêverons peut-être de hockey? Ce qui nous donnera plus de temps de glace.

— Génial! s'écrie Laurier. Bonne idée!

— Bien, si ça ne vous dérange pas, lance Joey, je vais prendre un plus grand lit... vu la grosseur de mes jambières de gardien de but!

Tout le monde éclate de rire et on se donne rendez-vous tout de suite après le souper, chez Zack. Le match commence vers sept heures, et personne ne veut rien manquer. Cependant, pour l'instant, la cloche vient de sonner, marquant ainsi le début de la journée.

En s'engouffrant dans l'école, Zack tire son cousin par la manche et le garde un peu en retrait.

— Dis, Nathan, il y a une raison particulière pour qu'on dorme avec nos équipements?

— Non, pourquoi?

— Tu sais, au pied du lit ou près de la porte, c'est du pareil au même.

— Pas tout à fait, cousin. Tu te souviens des murmures... laisse échapper Nathan en accélérant le pas.

— Que veux-tu dire? interroge Zack avec un grand sourire. Est-ce que ton souhait...

Il est interrompu par Nathan qui, se retournant vers lui, fait signe de se taire en posant un doigt sur sa bouche. Sa dernière réplique rend son attitude encore plus mystérieuse.

— Nous nous coucherons de bonne heure pour être en forme, Zack. Nous avons un gros match à jouer, conclut-il en s'éloignant, laissant son cousin pantois.

La journée paraît interminable pour Will, Laurier, Joey et Zack, mais encore plus pour Nathan. Il attend patiemment la fin des cours, car il lui reste une mission importante à accomplir : aller voir son grand-père, le convaincre de porter l'équipement de la famille et ne rien dévoiler. Notre joueur est convaincu que ce ne sera pas de la tarte !

La cloche sonne enfin. Les garçons s'attardent dans la cour d'école pour jouer au hockey, mais Nathan refuse l'invitation. Il doit s'acquitter d'une tâche qui ne peut pas attendre. Personne ne trouve son attitude bizarre. Seul Zack se pose mille et une questions, mais il a compris qu'il vaut mieux se taire. Nathan est mystérieux, mais il a sûrement une bonne raison. En plus, Zack a reconnu chez son cousin cet air hébété qui caractérise sa famille, chaque fois qu'un événement un peu spécial s'apprête à perturber la routine du quotidien. Il faut juste être patient. La révélation ne saurait tarder.

Nathan prend le chemin de la maison de son grand-père. Encore une fois, il réfléchit en arpentant la route. Il ne sait pas comment aborder la question. Cette fois encore, le destin lui donne un coup de main. Au moment même où il met le pied dans la cour, la porte s'ouvre pour laisser place à Jean-Roch. Ce dernier aperçoit son petit-fils.

— Ça alors! Nathan, qu'est-ce que tu fais ici?

— Je venais te voir, grand-papa. J'avais quelque chose à te demander.

— Alors tu vas devoir marcher, mon homme. C'est l'heure de ma randonnée quotidienne. Tu sais, une promenade par jour, ça garde en forme. Et puis, je ne suis plus tout jeune.

— D'accord, je marche avec toi, mais pas longtemps. Il faut que je rentre. J'ai certaines obligations ce soir.

— Tu es bien occupé, dis donc ! Alors, de quoi voulais-tu me parler au juste, fiston ?

— Bien... C'est une demande spéciale. Tu dois me promettre de répondre « oui » sans me questionner davantage.

— Hum... Ça semble sérieux. Continue.

— Je ne pourrai rien t'expliquer, grand-papa, tu comprends. J'ai absolument besoin de ton appui. Tu promets ?

— C'est d'accord ! À moins que tu me demandes quelque chose d'impossible, comme gravir le mont Everest ou encore aller magasiner avec une des anciennes robes de ta grand-mère ou...

Jean-Roch laisse sa phrase en suspens. Il se rend compte qu'il a mal choisi son exemple. Nathan n'a jamais eu la chance de connaître sa grand-mère, pas plus que Zack et Zoé d'ailleurs, car elle est morte avant même leur naissance. Mais Nathan, tellement concentré sur sa mission, ne remarque pas le malaise de son grand-père. Il reprend.

— Grand-papa, ma requête a deux volets : d'abord, te coucher très tôt ce soir, tout de suite après le match des Canadiens. Ensuite, t'endormir avec l'équipement de l'arrière-arrière-grand-père au pied de ton lit.

— D'accord, répond Jean-Roch d'un ton sans émotion.

Nathan reste sans voix. Il s'attendait à un « quoi ? » ou à quelque chose de semblable, mais rien. Dire qu'il croyait que ce serait difficile ! Ce qu'il ignore cependant, c'est que son grand-père bouille intérieurement. Ses pensées filent à une vitesse folle : les murmures, les hallucinations au Centre Bell, les cartes, les rêves... Se pourrait-il que...

— Alors ça te va, grand-papa ? Tu vas faire ça pour moi ?

— Bien sûr, Nathan ! Si on changeait de direction. J'imagine que l'équipement se trouve encore chez Zack ?

— Oui, dans l'armoire, avec ton sifflet et la collection. C'est l'endroit le plus sûr.

— Tu as bien raison. Allons le chercher si tu veux.

— Oui, je vais faire un bout de route avec toi. Mais ne devrais-tu pas prendre ta voiture? Ce serait plus facile pour rapporter l'équipement.

— Non. Je vais demander à Marc de me reconduire. Au fait, je sais que je n'ai pas le droit de poser de questions, mais suis-je le seul à qui tu as adressé cette requête?
— Non. Il y a papa, oncle Marc, Zack et quelques copains. Il y a aussi Mario, mais là, je suis embêté... Je ne sais pas du tout comment je vais m'y prendre...

— Besoin d'un coup de main?

— Tu m'aiderais à le convaincre, grand-papa? Ce serait super génial!

— Ne t'en fais pas, fiston, poursuit Jean-Roch. Je te promets que ton entraîneur se couchera très tôt ce soir...

L'aïeul et le petit-fils marchent ensemble encore quelques instants, puis se quittent, prenant chacun une direction différente. Le grand-père récupère son équipement, curieux de savoir ce qui les attend ce soir. Il n'a pas insisté devant Nathan, comprenant que son petit-fils ne pouvait pas parler... mais tout laisse présager une belle surprise. Le vieil amateur de hockey sent sa gorge se nouer. Il n'a pas porté cet équipement depuis des années. Que va-t-il donc arriver ?

Le petit-fils, pour sa part, a le cœur léger, envahi du sentiment du devoir accompli. Il a réussi sa mission. Tout se déroule comme prévu. Il ne reste qu'à attendre l'heure du coucher en passant une belle soirée entre amis, et en souhaitant une victoire pour le Canadien.

Ce soir-là, vers dix heures trente, plusieurs personnes clament en même temps leur fatigue. Éric souhaite bonne nuit à Sandra, éberluée de voir son mari se coucher aussi tôt un vendredi. Elle qui souhaitait une soirée en amoureux ; elle devra regarder la télé seule. Hélène, pour sa part, dont la maison est remplie à craquer de Requins, est plus qu'heureuse de voir la troupe monter pour dormir. Marc a décidé de se coucher tôt lui aussi. « Tant mieux ! », se dit-elle, « ça me donnera plus de temps pour me reposer moi aussi. » Et elle se prépare également à se mettre au lit. Mario ne comprend pas vraiment le sens de la demande qui lui a été adressée par le grand-père de Zack et Nathan, mais s'y plie tout de même, vu le ton sérieux emprunté par ce dernier. Peut-être est-ce lié au fait que tous les garçons dorment chez Zack. Il ne saurait dire. Il s'endort vers onze heures en se posant une multitude de questions. Jean-Roch, quant à lui, dort à poings fermés depuis un temps déjà. Il n'a même pas écouté toute la partie tant il aspirait à connaître la suite des événements. On ne sait jamais ce qui peut arriver quand on porte un équipement spécial, que des images de joueurs nous sourient et que notre petit-fils se fait plus que mystérieux...

Chapitre 12

Quand minuit sonne...

Toutes les personnes concernées par la visite des fantômes à Rocketville dorment paisiblement quand minuit sonne. Au douzième coup, une brise fraîche vient caresser le visage de Nathan. Le garçon ouvre immédiatement les yeux. Il porte son pyjama, ses patins, son casque et un magnifique chandail des Canadiens, un vieux modèle en lainage avec des lacets au cou.

Il regarde autour de lui : personne ! Puis les murmures s'élèvent... Plus loin, sur le lac, il aperçoit des silhouettes qui se dirigent vers lui. Elles sont au nombre de dix. Plus elles avancent, plus Nathan arrive à les distinguer clairement.

Il n'en croit pas ses yeux. Devant lui se dressent Georges Vézina, Jacques Plante, Newsy Lalonde, Bill Durnan, Toe Blake, Doug Harvey, Joe Malone, Howie Morenz, Aurèle Joliat et finalement, plus incroyable encore, le Rocket lui-même, qui ferme la marche ! Ils sont tous vêtus du même chandail que Nathan et arborent fièrement leur numéro respectif.

Les fantômes arrivent à la hauteur du jeune Requin ; ils l'encerclent, gardant un silence absolu. Si ce n'était pas l'hiver, on entendrait sûrement une mouche voler. Nathan est intimidé de se retrouver au milieu de tous ces héros. D'ordinaire si bavard, il demeure muet, et les questions se bousculent dans sa tête.

C'est Doug Harvey qui prend la parole :

— Salut, mon gars ! Nous avons entendu ta requête et nous tenons notre promesse : nous sommes venus jouer un match avec toi.

Comme si ces mots lui avaient délié la langue, Nathan s'écrie :

— GÉNIAL !

Il sursaute en entendant sa propre voix déchirer le silence et il rougit un peu. Il n'avait pas voulu parler aussi fort. Tentant de contenir son excitation, le garçon ajoute, plus posément :

— Et pour les autres? Je veux dire, mon grand-père et...

— Ils vont arriver bientôt, répond Jacques Plante, mais avant, tu dois bien nous écouter. Un match comme celui-ci nécessite une certaine procédure. Es-tu prêt à l'entendre?

— Oh oui! Vous pouvez me demander ce que vous voulez, assure Nathan. Pour le bonheur de jouer une partie avec vous, je me soumettrai à tout!

— C'est très simple, petit gars, reprend Plante. Il n'y a que quelques règles. Premièrement, après cette nuit, nous ne disputerons plus aucun match avec vous. Nous venons pour cette seule et unique fois et nous quitterons Rocketville à l'aurore. Tous les membres de ta famille se souviendront très clairement des heures qui vont suivre, mais pour les autres, Mario, Joey, William et Laurier, cela restera un rêve magnifique gravé à tout jamais dans leurs pensées, car tout doit rester secret. Une fois éveillés, ils ne garderont rien en mémoire. Ils seront donc incapables de parler de cet événement. Tu comprends?

— Je crois bien que oui. Donc, je ne pourrai jamais parler de cette rencontre extraordinaire?

— Tu pourras en parler avec les membres de ta famille, mais seulement avec eux, répond Georges Vézina en prenant à son tour la parole. Disons que c'est comme pour votre équipement magique. Personne ne doit savoir.

— Aucun problème, monsieur Vézina, répond Nathan. Est-ce qu'il y a d'autres consignes?

— Non, mais un détail important, lui répond Toe Blake dans un français impeccable. Être des fantômes nous permet d'outrepasser certaines limites. Là où nous errons, il n'y a pas de langue officielle, donc aucune barrière linguistique. C'est pourquoi nous, les joueurs anglophones, pourrons facilement communiquer avec vous cette nuit.

— Ouf! Tant mieux. Mon anglais est plutôt nul, alors...

— Ah oui! Une dernière chose, ajoute Blake en souriant. Vous porterez tous un chandail comme le tien ce soir. Toi et les membres de ta famille pourrez les conserver. Pour les autres, malheureusement, nous ne pourrons les laisser.

— Ça me va! assure le jeune hockeyeur, de plus en plus fébrile à l'idée de monter sur la glace avec ces héros d'un autre temps. Maintenant, est-ce qu'on peut appeler les autres?

— Quelques-uns arrivent déjà, Nathan.

À ces mots, le garçon se retourne et aperçoit derrière lui son père, son oncle Marc, Zack et son grand-père. Leur visage radieux manifeste à la fois leur joie et leur incrédulité. Eux non plus n'en croient pas leurs yeux. Tous les quatre s'approchent. Quelques fantômes s'écartent afin de les laisser pénétrer au centre du cercle. Ils y retrouvent Nathan.

— Est-ce que c'est un rêve? demande immédiatement Zack à son cousin.

— Pas pour nous.

— Ça alors! Ton souhait a été exaucé, cousin. C'est génial! Ils sont tous là, même le Rocket!

Marc, Éric et Jean-Roch restent muets d'étonnement, de bonheur et d'incompréhension. Tous ces sentiments se bousculent en eux. Non, ils ne rêvent pas, ou ils rêvent éveillés, ils ne savent pas vraiment.

Au grand plaisir de leur grand-père, Maurice Richard s'avance vers lui et lui tend la main. Jean-Roch présente la sienne. C'est une poignée de main dont il se souviendra pour le restant de ses jours, il en est certain. Le Rocket prend la parole pour la première fois.

— J'ai eu de grands fans dans ma vie et certains disent que j'ai soulevé bien des passions, mais je n'ai jamais vu un admirateur comme vous. Votre collection est incroyable ! Et renommer votre village en mon honneur représente pour moi un geste magnifique de la part de tous les Rocketvillois. C'est en partie pour vous, Jean-Roch, que je suis ici ce soir. Ce sera un plaisir d'évoluer à vos côtés.

Des larmes de joie montent aux yeux du vieil admirateur. Son idole se tient juste devant lui et il se dit honoré de jouer avec lui.

— Je n'ai pas patiné depuis une éternité, arrive à bredouiller le grand-père. Je ne rivaliserai jamais avec vous. Je me fais vieux, vous savez.

— Bien sûr que si, poursuit le Rocket, vous avez votre équipement. Et de toute façon, cette nuit est magique en quelque sorte. Ne vous inquiétez pas. Vous êtes prêts pour le match ? demande-t-il en s'adressant aux fantômes et aux membres de la famille Laflamme.

— Et comment ! disent en chœur Zack, Nathan, Marc et Éric.

— Nous sommes prêts, répondent les fantômes.

— Alors qu'arrivent nos derniers invités, conclut Aurèle Joliat et que le match commence !

En deux temps trois mouvements, Mario, Joey, William et Laurier apparaissent sur le lac. Eux aussi sont pantois d'incompréhension et auraient des centaines de questions à poser. Avant même qu'ils n'ouvrent la bouche, Nathan s'adresse à eux.

— Les gars, je vous présente les fantômes du Forum et le Rocket. Vous aimeriez sans doute les soumettre à un vaste interrogatoire, mais nous n'avons pas le temps pour ça, continue-t-il en souriant. Chaque minute passée à bavarder équivaut à une minute de perdue sur la glace. Nous discuterons de tout ça plus tard. Ça vous va ?

Nathan n'attend même pas la réponse de ses compagnons. Il est bien trop impatient ! Ses amis n'ont qu'à le suivre. Plus heureux que jamais, le jeune exaucé s'éloigne au centre du lac pour la première mise en jeu de la soirée.

— Allez, hop ! Que la partie commence !

Chapitre 13

Une nuit inoubliable !

On divise préalablement les équipes, destinées à se modifier au cours de la partie puisque chaque fantôme évoluera avec les joueurs des Requins ou les membres de la famille Laflamme. De cette manière, chacun d'eux pourra apprendre en leur compagnie. Mario, pour sa part, bien que chaussé de ses patins, se retire avec Toe Blake pour en apprendre un peu plus sur l'art de l'entraînement et de la motivation des joueurs.

Joey se tient devant son filet, tandis que son rival, Jacques Plante lui-même, se positionne un peu plus loin sur le lac. On a remis la « punch line » au goût du jour puisque le Rocket est épaulé de Zack et de son grand-père. La ligne d'attaque adverse est composée de William, Laurier et Howie Morenz. Nathan, pour sa part, évolue en défensive avec Doug Harvey. Éric et Marc tiennent également un rôle à la défensive.

Zack gagne la première mise en jeu de cette nuit incroyable, aux dépens de Will. Tout de suite, il s'élance en direction de Plante. Il monte la rondelle et effectue immédiatement une passe à son grand-père qui patine avec ardeur, comme à ses beaux jours. Décidément, l'équipement de l'arrière-arrière-grand-père est surprenant. Jean-Roch voit le Rocket qui file à toute allure du côté droit. Vif comme l'éclair, grand-papa déjoue son fils Marc et envoie une superbe passe à son idole. Richard, le feu dans les yeux, la reçoit et décoche un superbe tir en direction de Plante. Ce dernier sort de son filet afin de couper l'angle de l'étoile du hockey, mais n'y parvient pas. Malgré sa grande science du jeu, il lui est impossible de fermer la porte devant un tel tir. Le compte est de un à zéro, mais personne ne s'en inquiète, car le but cette nuit n'est pas de gagner, mais d'apprendre et de s'amuser.

William gagne la deuxième mise en jeu. Il se précipite immédiatement en direction de la zone adverse, mais trouve rapidement Nathan sur son chemin. Le défenseur bloque son adversaire et s'empare du disque qu'il tente de sortir de son territoire en faisant une longue passe. Malheureusement pour lui, sa tentative est interceptée par Morenz qui rebrousse chemin, surprend la défensive et file en direction de Joey. Peine perdue! Le disque siffle près de sa tête et se loge derrière lui.

Avant la remise en jeu, Harvey en profite pour appeler à lui les défenseurs. Nathan, Éric et Marc s'approchent. Mario et Toe Blake s'amènent à leur tour. Tout le monde suit. Après tout, il y a de ces leçons qui valent la peine d'être entendues, même quand on ne joue pas à la défense!

— Nathan, tu viens de faire une erreur, et je vais t'expliquer pourquoi, lui dit Doug Harvey. Il ne faut jamais se précipiter ainsi quand on réussit à bloquer la montée d'un attaquant en direction de son filet. Il faut contrôler le jeu et rester calme afin de prendre les bonnes décisions. Tu vois, tu as fait une passe trop rapide, sans prendre le temps d'analyser ce qui se déroulait autour de toi. Tu aurais dû tenter d'amener toi-même la rondelle à la ligne bleue adverse. Ainsi, tu aurais eu plus de chances d'effectuer une passe réussie à l'un de tes attaquants. Tu comprends, mon gars?

— Je pense bien que oui, monsieur Harvey. C'est ça, j'imagine, le rôle de défenseur offensif.

— Exactement! Si tu manies bien la rondelle, tu pourras améliorer ta vitesse et ainsi arriver plus rapidement à destination. De là, il sera beaucoup plus facile de réussir la passe parfaite!

— Si je peux me permettre, Doug, poursuit à son tour Toe Blake, il ne faut jamais être nerveux quand on joue au hockey, et il faut prendre le temps d'analyser, que ce soit à la défense ou à l'attaque. Tu me suis bien, Mario? ajoute-t-il en se tournant vers son nouvel élève.

— Et comment, monsieur! Je bois vos paroles, répond l'entraîneur des Requins de Rocketville.

— Alors on reprend! conclut Harvey. On va tenter de répéter le même jeu et de mettre à profit ce qu'on vient d'apprendre. Ça vous va, les gars ?

Un « oui » unanime s'élève du groupe agglutiné autour du célèbre défenseur. On reprend la partie exactement où on l'avait laissée quelques instants plus tôt. La mise en jeu est donnée.

Will s'empare à nouveau de la rondelle, pivote sur lui-même et passe à Morenz au centre. Ce dernier s'élance avec le disque. Il voit Nathan se préparer à lui couper son élan. De manière à lui donner plus de chances, Morenz passe à Laurier, déjà en mouvement. Les deux adversaires combattent ainsi à forces égales. Lorsque Nathan parvient à la hauteur de l'attaquant, il l'intercepte magnifiquement et s'enfuit cette fois avec la rondelle. En la maniant de son mieux, il se remémore les conseils de Harvey : rester calme afin de prendre la bonne décision. Il regarde sur sa droite et voit Harvey à ses côtés. Droit devant lui se tiennent Éric et Marc. Il les déjoue vers le centre et décoche ensuite une superbe passe à son grand-père. Ce dernier poursuit en direction du but de Plante. Il s'approche, voit qu'il a très peu d'angles et décide de refiler la rondelle à Zack. Ce dernier s'avance, feinte vers la droite pour déjouer Plante, mais le gardien repousse le disque.

Suite à cet échange, Blake et Mario s'avancent à nouveau au centre de la glace. Blake interpelle tous les joueurs.

— Nathan, c'était superbe ! N'est-ce pas, Doug ?

— Oh oui ! Magnifique, mon gars ! Tu as bien compris. Tu as été patient et cela a porté ses fruits.

— Oui, mais on n'a pas marqué... note Zack.

— Effectivement, jeune homme, et nous allons t'expliquer pourquoi. Allons-y d'abord avec les explications de Jacques.

Avant de prendre la parole, Plante fait signe à Joey, Durnam et Vézina de s'approcher de lui. Il veut être sûr que le jeune cerbère entende et surtout comprenne bien ce qui va suivre. Les explications des trois gardiens devraient grandement l'aider.

— Zack, tu as fait du bon travail sur la réception de passe de ton grand-père. Tu as feinté du mieux que tu le pouvais. Dans un match régulier, avec un gardien de ton calibre, un tel jeu aurait certainement fonctionné, mais je ne t'ai donné aucune chance. Je t'ai considéré comme un joueur de notre trempe.

— Merci, monsieur Plante, répond le capitaine des Requins, un grand sourire collé sur le visage.

— Pas de merci, mon gars. Je ne t'ai pas facilité la vie, car tu as beaucoup de potentiel, et je veux te donner l'opportunité de te surpasser. Je sais que tu apprendras davantage en relevant des défis, et tu as ici des adversaires de taille. Profites-en bien ! Nous t'enseignerons tout ce que nous pourrons cette nuit, ainsi qu'à tes amis. Au fait, Joey, ça te dirait de recevoir quelques leçons sur l'art d'arrêter la rondelle ? D'apprendre quelques trucs du métier ?

— Oh oui ! répond le jeune gardien de but, fasciné par ce qu'il est en train de vivre.

— Et comment ! se permet d'ajouter Mario. Toutes les techniques que vous nous donnerez pourront être appliquées dès notre prochaine pratique.

— Alors on y va! Joey, le hockey, c'est avant tout un travail d'équipe. Premièrement, il est important que tu communiques toujours avec tes défenseurs. Puisque tu demeures dans ton but, tandis qu'eux restent constamment dans le feu de l'action, tu possèdes une vision du jeu beaucoup plus globale et tu te dois de la mettre à leur contribution. Tu peux par exemple lever le bras pour leur indiquer l'emplacement de la rondelle. Tu peux jouer le rôle de troisième défenseur en couvrant bien ta zone et en sortant de ton filet pour récupérer le disque et même passer en direction d'un de tes joueurs. Et surtout, tu ne dois pas rester immobile dans ton filet. Il faut sortir pour couvrir le plus possible l'angle de tir ou encore utiliser le style papillon. Vous êtes d'accord avec ça, les gars? demande-t-il en s'adressant à Durnam et Vézina.

— Évidemment, approuve Georges Vézina. En plus, aujourd'hui, vous avez la chance de pouvoir vous jeter par terre devant la rondelle pour couvrir plus d'angles encore. Dans mon temps, on jouait debout. Tu peux également t'aider de ta mitaine pour attraper ou encore de ton biscuit pour bloquer. Pour ma part, j'ai évolué toute ma carrière avec deux gants identiques. Votre jeu s'avère donc plus facile. Tu me suis, Joey?

— Oh oui!

L'apprenti gardien buvait les paroles de son idole, les yeux brillants. Il n'aurait jamais imaginé, au nombre incalculable de fois qu'il avait passé devant le Centre Georges-Vézina, chez lui au Saguenay, pouvoir un jour discuter avec ce dernier.

— Quelque chose à ajouter, Bill? questionne à son tour Toe Blake.

— Je pense qu'on a fait le tour. Mon grand avantage était d'être ambidextre, mais mes gants étaient adaptés à l'époque. Aujourd'hui, avec votre équipement, mes techniques se révèleraient presque impossibles à utiliser.

— Alors on récapitule, poursuit Blake. Un gardien, c'est un troisième défenseur.

Il doit impérativement communiquer avec ses joueurs, bien couvrir ses angles et sa zone...

— Et empêcher toutes les rondelles de pénétrer dans son but, beau temps mauvais temps! conclut Joey.

Éclatant de rire, le cerbère gratifie le garçon d'une tape dans le dos.

— Bien dit, mon gars!

— On poursuit avec les conseils en attaque? interroge Blake.

— Oui, s'il vous plaît! s'écrient en chœur Zack, Will et Laurier.

Aurèle Joliat s'avance pour prendre la parole. Il dépasse à peine les jeunes Requins, mais une étincelle farouche brille dans son regard.

— Une chose à retenir, les garçons: la grandeur n'a pas vraiment d'importance. Un bon vieux dicton dit: dans les petits pots, les meilleurs onguents. Pour ma part, j'ai compensé ce handicap physique en travaillant beaucoup mon maniement de rondelle. J'avais de bonnes mains pour déjouer le gardien adverse à courte distance. Je compensais ainsi la vitesse perdue suite à ma blessure. D'ailleurs, à ce propos, je vous dirai également, et ce conseil vaut pour vous tous, que peu importe votre position au sein de l'équipe, il est important de bien soigner chaque blessure et de prendre le temps de guérir avant de revenir au jeu. Un manque de rigueur à ce niveau peut vous coûter votre carrière ou même votre vie...

— Je ne flamboyais pas par ma rapidité, renchérit Joe Malone. Pour compenser, je patinais droit et avec force. Je maniais également le bâton avec efficacité. Mon astuce, c'était de forcer le gardien à sortir de son filet. Heureusement, je n'ai pas eu à jouer contre Plante, car ma technique aurait sûrement été vaine! admet-il en riant.

— Moi, c'est tout le contraire. J'étais robuste, bon passeur et, aux dires de plusieurs, mon tir se révélait foudroyant, poursuit Morenz. Mais avant tout, j'avais une passion : jouer à Montréal. La foule me transportait! J'aurais déplacé des montagnes pour satisfaire les partisans.

— Et quels partisans! Il n'y a pas de meilleure foule au monde que les fans du Canadien, poursuit le Rocket, rêveur, en repensant à la longue ovation dont il a été l'objet lors de la fermeture du vieux Forum. J'ai vécu de grands moments dans ma carrière que je n'aurais pas pu vivre ailleurs que dans cette ville. Telle est la passion des gens! Bien sûr, ils ont vu en moi un symbole politique et social, mais je n'étais qu'un joueur de hockey. Voilà ce dont vous devez vous rappeler tout au long de votre carrière, qu'elle s'avère glorieuse ou non. Le hockey, ça se joue sur la glace, nulle part ailleurs! Et on joue au hockey parce qu'on aime le sport, pas le salaire qui vient avec. Vous me suivez?

— Oui, monsieur! répond la joyeuse bande d'amis d'une seule et même voix.

— Je conclurai en vous disant ceci, poursuit Toe Blake : une équipe de hockey, c'est un tout. On gagne et on perd en équipe. Chaque joueur est important. En tant qu'entraîneur, dit-il en s'adressant à Mario, il faut pouvoir contrôler chaque membre, tant les vedettes que les autres. Il importe de toujours garder son calme derrière le banc. Il faut aussi être un bourreau de travail, que ça nous plaise ou non, et n'avoir qu'une seule idée en tête : motiver les joueurs et les pousser à s'améliorer sans cesse. Et ça, ce n'est pas toujours facile. Qu'en penses-tu, Maurice ?

En guise de réponse, le Rocket lève les yeux au ciel en soupirant ; Jean-Roch éclate de rire. Il sait bien que la mission première de Blake lorsqu'il a été nommé entraîneur consistait à contrôler le joueur étoile du Canadien.

— Et si on jouait maintenant ! s'exclame soudainement Nathan, qui meurt d'envie de retourner sur la glace. Je ne voudrais pas être impoli, mais la nuit avance et j'aimerais encore profiter de votre visite parmi nous.

— Je suis bien d'accord, lance à son tour Zack. Ça vous tente, les gars ?

Will et Laurier ne prennent même pas le temps de répondre et se positionnent aussitôt pour la mise en jeu. Le reste de la bande les suit de près.

Jamais les jeunes Requins n'ont joué avec autant de plaisir! Les prouesses sur glace se poursuivent jusqu'à l'aurore. Toute la nuit, on assiste à des jeux phénoménaux, des montées spectaculaires et des arrêts à couper le souffle. Jean-Roch patine presque toute la nuit aux côtés de son idole, sans que personne ne lui en tienne rigueur. Le Rocket en profite même pour récolter son 34e tour du chapeau en carrière! Occupé à tenir le rôle de coéquipier ou d'adversaire d'un fantôme, chaque joueur cherche à se surpasser, poussant des cris admiratifs devant les exploits de ses idoles. Au milieu des rires qui s'élèvent à tout moment sur la patinoire, chacun souhaite secrètement que cette partie soit éternelle.

Dans la frénésie de cette nuit magique, nul ne remarque la présence d'une frêle silhouette tout près du rivage du lac. Personne ne voit la lueur dans ses yeux chaque fois qu'un membre de la famille Laflamme marque un but ou réalise un superbe jeu défensif. Spécialement lorsqu'il s'agit de Zack ou de Nathan.

Malheureusement, la nuit tire à sa fin, et le temps des adieux aux fantômes arrive. Le souhait de Nathan a été exaucé. Comme pour Cendrillon, forcée d'abandonner le bal aux douze coups de minuit, les habitants de Rocketville doivent abandonner le rêve.

Alors que les lueurs de l'aurore se lèvent, brisant l'opacité de la nuit, les fantômes s'évanouissent peu à peu. Quand ils ont tous disparu et que même Joey, Laurier, William et Mario sont retournés sagement dans leur lit respectif, quand il ne reste que les membres de la famille Laflamme, la frêle silhouette s'approche. Elle se dirige vers Jean-Roch qui, rapidement, la reconnaît. Comment pourrait-il l'oublier ?

— Bonjour, chéri !

— Ça alors ! Marjolaine, c'est bien toi ? demande le grand-père.

— Oui, c'est moi.

Jean-Roch s'élance immédiatement vers elle pour la serrer dans ses bras.

— Maman ! s'exclament Éric et Marc.

— Grand-maman? s'écrient à leur tour Zack et Nathan.

— Oui, c'est moi, votre grand-mère. Lorsque tu as formulé ta requête, Nathan, les fantômes sont venus me chercher, me demandant de les accompagner. Ils désiraient t'offrir cette surprise, en plus du match promis. Ils se sont dit que vous seriez heureux de me voir.

— Et comment! s'exclame Marc.

— Maman, tu me manques tellement! poursuit Éric.

— Il ne faut pas, mes enfants. Je vous vois tous les jours, et vous vous en sortez très bien. Éric, je me réjouis que tu sois de retour parmi les tiens, chez toi, à Rocketville! Quant à vous, les garçons, dit-elle en se retournant vers ses petits-fils, vous êtes dignes des Laflamme. Je suis fière de vous!

Puis, se retournant vers Jean-Roch, son mari tant aimé :

— Que signifie cette histoire d'équipement de l'arrière-arrière-grand-père?

— Euh... je...je... j'aurais dû...

— Ne t'inquiète pas ! enchaîne-t-elle en riant. Je suis au courant maintenant. Tu sais, tu n'as plus aucun secret pour moi depuis que je suis partie. Et en plus, ce soir, tu étais mignon comme aux premiers jours de notre mariage, ajoute-t-elle d'un air coquin.

À son commentaire, toute la famille s'esclaffe. Mais le soleil perce de plus en plus l'horizon et le moment de rentrer approche inéluctablement. Tout un chacun serre tendrement l'épouse, la mère et la grand-mère dans ses bras pour une dernière ou encore une première étreinte. Nathan et Zack obtiennent les derniers ce privilège. Quand Marjolaine les enlace tendrement, elle leur souffle à l'oreille, tout juste avant de les quitter pour l'éternité :

— Je suis très fière de vous, les garçons. Je vous aime. Vous donnerez un câlin à la petite Zoé pour moi.

Puis elle s'évapora, ses petits-fils ne quittant ses bras que pour tomber dans ceux de Morphée. Malgré l'enthousiasme incroyable de cette nuit, l'épuisement les a gagnés. L'engourdissement s'appesantit sur leurs membres, leur vision s'embrouille et la patinoire disparaît.

Une nuit incroyable prend fin. Qu'arrivera-t-il au réveil ?

Chapitre 14

Un réveil bizarre

En ce samedi matin nuageux, tout le monde se réveille très tôt chez les Laflamme. Marc émerge le premier du sommeil. Immédiatement, il se remémore les événements de la nuit. A-t-il rêvé? Était-ce réel? Il s'extirpe de son lit pour découvrir qu'il porte le vieux chandail des Canadiens offert par les fantômes. Il étouffe un cri de joie, craignant de réveiller Hélène. Discrètement, à pas feutrés, il sort de sa chambre.

À l'étage, il entend du bruit. La porte de la chambre de Zack s'ouvre et se referme immédiatement. Les deux cousins dévalent l'escalier rapidement, mais en tâchant de rester silencieux. Marc les aperçoit. Eux aussi portent un chandail du Canadien. Nul besoin de parler, leur sourire radieux est plus qu'évocateur. Tous les trois se dirigent vers le salon. Nathan brise le silence.

— Vous avez passé une belle nuit, les garçons ?

— Et comment ! s'emballe Zack. Dis, Nathan, ça nous est vraiment arrivé ? Je veux dire, les fantômes, le match avec eux...

— Oui, c'est arrivé. Mon souhait a fonctionné. Je le savais depuis...

Mais Nathan est interrompu par la sonnerie du téléphone. Marc se rue sur l'appareil dès la première sonnerie. Il ne veut pas réveiller les filles. D'ailleurs, William, Joey et Laurier dorment toujours eux aussi.

— Allô ?

— Marc, c'est moi, Jean-Roch. Quelle nuit !

— À qui le dis-tu, papa ! C'était incroyable !

— Et ta mère qui se tenait juste à côté de nous.

— Maman ! s'écrie Marc. Oui, je me souviens. Maman était là.

— Je viens déjeuner, si tu veux bien. Je n'ai pas l'habitude de m'inviter, mais là...

— On t'attend, papa. Rejoins-nous vite !

Marc est interrompu par son fils et son neveu.

— Tu veux bien lui demander d'apporter l'équipement de l'arrière-arrière-grand-père, s'il te plaît ?

— Papa, les garçons demandent d'amener l'équipement avec toi. Tu veux bien ?

— Pas de problème, fiston ! J'arrive sous peu.

Marc raccroche le combiné et reprend la discussion avec Nathan et Zack. Alors que les trois se remémorent les événements incroyables de cette nuit fabuleuse, Éric s'éveille à son tour. Ahuri par ce rêve impossible, il sort de son lit et aperçoit à son tour le fameux chandail du Canadien sur lui. Il ne le portait pas, hier soir, en s'endormant... En fait, il n'en a jamais eu de semblable... Il jette un œil incrédule à ses patins. Ses lames dégoulinent ! Soudain, tout lui paraît clair. Non, il n'a pas rêvé. Il a vraiment joué un match avec les fantômes ! Les souvenirs affluent aussitôt, et il se meurt d'envie de les partager ! Mais Sandra, sa femme, est toujours endormie, et de toute manière, elle ne le croirait sûrement pas. Alors, se précipitant hors de la chambre, il saisit le téléphone et compose le numéro de son frère. Cette fois, c'est Zack qui répond.

— Allô ?

— Salut, Zack, c'est Éric.

— Tu avais ton chandail aussi ce matin, mon oncle ? demande son neveu.

— Exact ! Tu veux bien demander à Marc si je peux venir vous voir maintenant ?

Zack n'a pas le temps de prendre cette initiative. Son père lui arrache le téléphone des mains.

— Salut, Éric ! Viens vite à la maison. Papa vient déjeuner avec nous. Amène Sandra avec toi. Elle discutera avec Hélène et Zoé pendant que nous parlerons de la nuit dernière... discrètement.

— Parfait ! Je la réveille et on arrive ! J'ai une énorme envie de serrer mon fils dans mes bras. Après tout, c'est à lui que nous devons cette nuit magnifique.

Un brouhaha commence à s'élever de la chambre de Zack. Les garçons se réveillent. Les deux cousins s'apprêtent à les rejoindre, mais avant de s'y rendre, Nathan se tourne vers Zack et son père.

— C'est un secret. Nous sommes les seuls à nous rappeler ce qui s'est passé la nuit dernière. William, Laurier, Joey et Mario ne se souviendront de rien, du moins, pas en état d'éveil. Alors il ne faut rien dire.

— Qu'est-ce que tu veux dire, Nath, par « pas en état d'éveil » ?

— Ils ne s'en souviendront que dans leurs rêves. Vous me comprenez ?

Le père et le fils acquiescent de la tête.

— Motus et bouche cousue ! On y va ?

Sur ces paroles, Nathan et Zack rejoignent leurs amis. Arrivés dans leur chambre, Will, Laurier et Joey discutent hockey, bien évidemment. Sans savoir pourquoi, ils ont une envie folle de jouer un match. Ils sont tellement obsédés par l'idée qu'ils ne portent aucune attention à leurs patins qui ruissèlent, mais remarquent immédiatement les superbes chandails qu'arborent leurs amis.

— Ça alors, les gars ! Vos chandails sont vraiment super ! lance Joey.

— Vous ne les aviez pas hier soir, remarque Laurier. Où les avez-vous trouvés ?

— Bien... bredouille Zack, en fait...

— Ça vient de nos pères, le sien et le mien, lance Nathan. Ils nous ont fait un cadeau.

— Ton père est ici, Nath ? questionne à son tour William.

— Euh...

— Non, il s'en vient ! rétorque Zack pour porter secours à son cousin. Comme il voulait qu'on les ait à notre réveil, il les a laissés ici. C'est papa qui vient de nous les donner. Dites, vous avez faim ?

— Sûr ! poursuit Joey. J'ai l'impression d'avoir joué toute la nuit tellement je suis affamé. Je pense que je pourrais avaler un pain complet si on m'en donnait l'occasion.

— Hors de question ! dit à son tour Laurier. Si tu manges trop, tu vas être incapable de bouger dans ton but et on va percer ta muraille trop facilement.

166

— Alors à la bouffe! s'exclame Zack. Pain doré pour tout le monde. Mais en silence, les gars! Ma mère et ma sœur dorment encore.

La porte s'ouvre sur la dernière réplique de Zack. Zoé arrive, tout sourire, les yeux encore embués de sommeil.

— Non, je ne dors pas, et maman non plus! Moi aussi je veux du pain doré. Je peux manger avec vous, les gars?

— Bien sûr, petite coquine! lui répond Nathan. Tu veux venir sur mes épaules?

— Oh oui!

Zoé grimpe sur son cousin et une fois bien perchée, elle s'écrie :

— À la bouffe!

La joyeuse bande déferle alors dans l'escalier pour se ruer à la cuisine. Hélène, qui vient à peine de se réveiller, a déjà toute une bande de petits Requins affamés à nourrir et un déjeuner-surprise à préparer pour tous. Elle remarque bien les chandails de Zack, Nathan et de Marc, mais n'a pas le temps d'en discuter pour l'instant, elle est trop occupée. Elle finira bien par savoir.

Chez lui, Mario se réveille. Il ne sait pas pourquoi, mais il a le cerveau en ébullition. Sa tête déborde de nouvelles stratégies qu'il a bien hâte de mettre en pratique avec ses joueurs. Il sait, car Jean-Roch le lui a dit hier soir au téléphone, que les garçons ont prévu jouer un match sur le lac derrière la maison de Zack aujourd'hui. Sans réfléchir, il prend le téléphone et compose le numéro de son capitaine. À peine a-t-il ouvert la bouche que le voilà invité à déjeuner lui aussi. Un de plus ou un de moins, ça ne fait plus aucune différence !

Les garçons avalent leur déjeuner en vitesse et se préparent pour leur partie. Un brouhaha règne dans la maison. « Une autre journée normale chez les Laflamme ! » se dit Hélène à elle-même en débarrassant la table pour la dresser à nouveau. Au moment où les garçons ouvrent la porte pour sortir, Éric, Sandra et Jean-Roch s'y engouffrent. Sans s'être consultés, ils arrivent en même temps. Sandra prend une minute pour embrasser son fils et se dirige à la cuisine pour aider sa belle-sœur. « Pauvre Hélène ! Un peu d'aide ne fera pas de tort... » se dit-elle en allant la rejoindre. Nathan saute alors au cou de son père. Tous deux affichent un sourire radieux. Profitant de la porte ouverte, William, Laurier et Joey se faufilent à l'extérieur.

— On se retrouvera dehors, lancent-ils à leurs amis en s'éclipsant vers le lac.

Jean-Roch referme la porte sur leur passage.

— Vous avez aimé votre nuit? s'enquit Nathan.

— Comment faire autrement, fiston? dit Jean-Roch en s'élançant en direction de son petit-fils, faisant mine de tenir un bâton entre ses mains. Le Rocket s'élance...

— ... il file à toute allure... poursuit Marc.

— ... fait une passe à Joliat... enchaîne Éric.

— ... ce dernier décoche un tir en direction du gardien... poursuit Zack.

— ... et compte! conclut Nathan.

Tous les garçons éclatent d'un rire franc. La discussion ne reprend pas, mais personne ne s'en soucie. Il y a de ces moments où les mots sont inutiles, car les sourires et les étoiles scintillant dans les yeux parlent d'eux-mêmes.

Peu de temps après, Nathan et Zack rejoignent leurs amis sur le lac. Ces derniers s'enfièvrent déjà dans leur jeu. Mario arrive quelques minutes plus tard. À l'intérieur, les adultes déjeunent et discutent, mais ils coupent bientôt court à la conversation. Éric, Marc, Jean-Roch et Mario meurent d'envie de se joindre à la partie qui se déroule à l'extérieur.

On s'excuse et on s'empresse d'enfiler ses patins. Jean-Roch revêt l'équipement de l'arrière-arrière-grand-père laissé sur le pas de la porte par ses petits-fils. Ses deux fils le regardent en souriant. Il a bien le droit de le porter encore, une fois éveillé...

Les garçons, grands et petits, jouent sur le lac jusqu'à l'heure du dîner, où Will, Laurier, Joey et Mario doivent les quitter. Mais même après leur départ, aucun des Laflamme ne se résout à achever prématurément ces bons moments ensemble.

— On joue encore ?

Des sourires approbateurs répondent à la demande de Zack. Tous, filles et garçons, reprennent donc le jeu et les discussions, au milieu des rires.

Quelle journée magnifique!

Chapitre 15

Cartes et murmures

Un peu plus tard en après-midi, les filles ayant décidé d'aller se promener, les garçons restent seuls à la maison. Ils se dirigent immédiatement vers le grenier. Ils comptent profiter de ce moment entre hommes, pour revenir sur la nuit dernière et sur la collection de cartes.

Une fois dans la mansarde, Zack et Nathan se dépêchent de sortir la collection de cartes de hockey de l'armoire ancestrale. Ils posent la boîte sur le plancher et l'ouvrent. Ils ne perçoivent aucun murmure. Zack brise le silence.

— Pourquoi n'entend-on plus rien ? questionne-t-il.

— Je vérifie un détail, lui répond Nathan, et je te le dis tout de suite.

Nathan sort les cartables et commence à les feuilleter. Il s'arrête sur celui contenant entre autres les cartes des fantômes. Il sort celles de Vézina, de Blake et de Malone ainsi que quelques-unes du Rocket. Il les regarde longuement puis les repose. Il jette un regard en direction de son père et des autres. Zack tente de comprendre ce qui se passe dans la tête de son cousin à cet instant précis, mais demeure perplexe puisque ce dernier semble à la fois triste et heureux. Nathan tend finalement les cartes à son grand-père. Après tout, c'est lui l'expert. Jean-Roch les examine un instant. Il lève les yeux vers son petit-fils; son regard parle de lui-même.

— Elles sont revenues comme auparavant, fiston, laisse tomber son grand-père.

— C'est bien ce que je croyais, reprend Nathan. Les fantômes m'avaient prévenu dans mes rêves cette semaine. Ils m'ont expliqué ce qui allait se produire... et ce qui est arrivé la nuit dernière. Ils ont également précisé qu'ils ne quitteraient leur domicile qu'une seule et unique fois pour jouer ici, avec nous, à Rocketville. Je crois donc que c'est terminé.

— Dommage, poursuit Zack, c'était tellement agréable. J'aurais voulu jouer encore et encore avec eux, toutes les nuits.

— Toute bonne chose a une fin, les gars ! reprend leur grand-père. Plutôt que de vous attrister, repensez à la chance que vous avez eue. Vous avez tout de même joué avec les fantômes du Forum !

— Grand-papa a raison les garçons, renchérit Marc. Vous avez eu la chance de vous entraîner à leurs côtés et vous avez même hérité d'un magnifique chandail.

Éric prend la parole à son tour :

— En plus, vous avez eu l'honneur de rencontrer votre grand-mère ! Tout ça aurait été impossible si toi, Nathan, tu n'avais pas imaginé cette demande un peu folle.

— Ça, c'est bien vrai ! enchaîne Zack. Je l'ai trouvée tellement belle ! C'était une super idée, Nath, et nous te devons cette chance. Peut-être qu'il faut savoir se contenter de ce qu'on a reçu.

— Là, tu marques un bon point, mon homme ! reprend Jean-Roch. Il faut savoir profiter de ce qui passe et renoncer à en demander plus. Je suis convaincu que les fantômes ont entendu ta demande parce qu'elle était sincère et basée sur de bonnes valeurs. Pour ma part, tu as permis de rendre réel un de mes rêves les plus fous : jouer avec mon idole, le Rocket. Je t'en remercie.

Les trois autres se joignent aussitôt à lui. Cette nuit restera gravée dans leur mémoire à jamais.

— Au fait, a-t-on des photos de grand-maman ? demande Nathan. J'aimerais beaucoup en avoir une.

— J'en veux une aussi ! enchaîne Zack. Elle était tellement belle !

— Plus que belle, les garçons, elle était fantastique, exceptionnelle ! s'exclame Jean-Roch, submergé de souvenirs heureux.

— Tu voudras bien nous parler d'elle un de ces jours ? s'enquiert Nathan.

— Quand vous voudrez, les garçons. Marc et Éric pourront également vous en parler.

Sur cette dernière parole du grand-père, les garçons entendent la porte de la maison s'ouvrir. Les filles reviennent de leur promenade. L'après-midi tire à sa fin.

On décide de ranger la collection pour rejoindre Hélène, Sandra et Zoé qui cherche déjà son frère et son cousin un peu partout dans la maison.

Peu de temps après, on se dit au revoir, et chacun rentre chez soi. Vers neuf heures, Nathan, épuisé, sent le sommeil l'envahir. Il se couche et s'endort rapidement. À peine vient-il de s'échouer au pays des rêves qu'une voix se fait entendre :

— Nathan, tu as bien rempli ta mission, et nous avons tenu promesse. Tu sais que nous, les fantômes, ne reviendrons plus à Rocketville. Cela a été un plaisir de jouer avec toi et toute ta famille. Merci de nous avoir permis de sentir à nouveau la caresse de l'air frais sur nos visages fantomatiques. Promets-nous seulement une chose : que ni toi, ni Zack, ni vos amis n'arrêterez de jouer. Vous êtes notre relève, les futures étoiles de votre génération. Poursuivez le même rêve qui nous habitait jadis, persévérez avec acharnement, mais plus que tout, souvenez-vous de ces paroles : celui qui joue au hockey doit le faire par amour du sport, non pour le gain ou la gloire. Un jour, vous nous rejoindrez; alors, nous serons fiers de vous. Au revoir.

Puis la voix s'éteint... à tout jamais.

Jean-Roch se couche également très tôt. Ce n'est pas qu'il soit fatigué, pas du tout! Il espère retrouver le Rocket sur la glace ou encore sa merveilleuse Marjolaine quelque part dans ses rêves. Après tout, on ne sait jamais ce qui peut se produire à Rocketville...

Tout peut arriver quand on y croit!

Chapitre 16

La passion du grand-père, un héritage historique

Au lendemain de cette fin de semaine exceptionnelle, les deux duos père-fils montent au grenier pour fouiner dans leur collection. Jean-Roch, à peine remis des émotions vécues en compagnie des fantômes et du Rocket, se joint à eux. Comme il connaît la collection par cœur, il s'assoit dans la chaise berçante et contemple en souriant ses descendants.

À peine ceux-ci recommencent-ils à feuilleter les cartables de cartes qu'ils sont à nouveau frappés de leur incroyable richesse. Des cartes spéciales et certaines tellement rares qu'on pourrait les croire disparues. Cette nouvelle découverte de la fabuleuse collection éveille bien des questions chez les quatre hommes concernés. Zack, s'arrêtant quelques instants pour se tourner vers son grand-père, lui demande :

— Dis, grand-papa, toi qui as collectionné ces cartes pendant des années, peux-tu nous dire comment cette histoire a commencé ? Selon tes propos, la première compagnie est arrivée en 1933. Mais avant, est-ce qu'il y avait des cartes ? Des plus vieilles encore ?

— Oui, tu peux nous raconter ? demande à son tour Nathan.

— Dis oui ! réclame Éric en tapant presque des mains.

— Oh ! Vous savez, je ne suis pas un pro, dit le grand-père en baissant modestement les yeux, juste un passionné ; je peux toutefois vous relater certains détails. Les premières cartes sportives ont émergé en 1875, mais il a fallu attendre 1910 pour voir apparaître les cartes de hockey. Aussi étonnant que cela puisse paraître, elles étaient distribuées dans des paquets de cigarettes... fort probablement dans le but d'encourager les gens à acheter et à fumer.

— Encourager à fumer ? s'étonne Zack.

— Mais c'est mauvais, le tabac, tout le monde le sait !

— Aujourd'hui, oui, acquiesce le grand-père, mais à l'époque, on pensait bien différemment. Ainsi, comme je le disais, une compagnie a distribué des cartes de hockey pendant trois ans. Un peu plus tard, une autre société de tabac a repris le concept pour la saison 1924-1925. C'était la dernière fois qu'une compagnie de cigarettes distribuait des cartes de la LNH.

— Wow, tu en sais des choses, grand-papa ! dit Nathan tout émerveillé.

Encouragé de cette attention, le conteur poursuit en se balançant sur sa chaise.

— Vers le milieu des années vingt, les compagnies alimentaires, de friandises et les journaux ont pris la relève. Plusieurs compagnies américaines et ici, au Québec, La Presse et La Patrie, offraient des cartes de hockey. Même CCM en a distribué à l'intérieur de ses boîtes de patins entre 1934 et 1936.

— Ça alors ! dit Zack.

— Mais la première vraie compagnie de cartes de hockey, comme je vous l'ai dit, est apparue en 1933. Elle s'appelait O-Pee-Chee.

Elle a mis ses premières séries sur le marché cette année-là. Après, il y a eu la Deuxième Guerre mondiale, ce qui a diminué l'intérêt pour les cartes de hockey, à un point tel que O-Pee-Chee a arrêté la production après sa série 1940-1941. Il a fallu attendre les années 50 pour qu'une autre compagnie de cartes se manifeste : la Parkhurst Products Company, de Toronto.

— Comment peux-tu en connaître autant ? demande Éric, ébahi par la mémoire de son père.

— Ah ! Vous savez, les garçons, lorsqu'un domaine vous passionne, vous prenez le temps de vous renseigner. Tous les détails vous intéressent... et vous les retenez beaucoup plus facilement !

— Ah ! C'est pour ça que tu as de la difficulté en mathématique, Nath ! Tu n'en es pas assez « passionné », le taquine son père en riant.

Le garçon tire la langue, mais il est obligé d'admettre qu'il a un peu raison.

— Qu'est-il arrivé ensuite, grand-papa ? demande précipitamment Zack, avant que le sujet ne dérape franchement vers l'école, ce dont il n'a aucune envie présentement.

— En 1954, Topps, une compagnie américaine, a fait son apparition pour combler la demande aux États-Unis. Puis, en 1968, O-Pee-Chee est reparue sur le marché. Les deux compagnies se sont associées pour produire les mêmes cartes, mais leurs logos différaient. Toutes ces cartes étaient produites en séries limitées. On ne prenait même pas la peine de les protéger, car à leurs yeux elles n'avaient pas vraiment de valeur. Cela explique certaines des cartes si fragiles dans la collection que je viens de vous donner.

— Elles n'avaient pas vraiment de valeur, répète Zack, ahuri. Mais elles doivent valoir une fortune aujourd'hui, grand-papa !

— Sûrement ! Mais pour moi, le montant que j'empocherais en les vendant ne m'importe guère. Elles possèdent une toute autre valeur à mes yeux, une valeur sentimentale. J'espère qu'il en sera de même pour vous.

— Affirmatif ! l'assure Nathan.

— Mais, papa, si les cartes sont maintenant produites en séries, demande Marc, pourquoi est-ce que certaines ont encore de la valeur aujourd'hui?

— C'est une bonne question, fiston. Il est vrai qu'en 1980, on a augmenté le tirage des cartes pour les séries et, qu'en 1990, la production a explosé! Vous comprenez, avant 1990, O-Pee-Chee détenait le monopole, mais cette année-là, un concurrent est né; Upper Deck, une compagnie que vous connaissez bien. Ensuite, plusieurs nouvelles compagnies de cartes sportives ont voulu percer le marché du hockey : Pro Set, Fleer et autres. Mais à l'exception d'Upper Deck qui est presque devenue une référence, toutes sont finalement retournées au baseball ou ont fermé leurs portes.

— Alors tout le monde s'est laissé gagner par l'euphorie de la production... pour ensuite être dominé par les deux géants O-Pee-Chee et Upper Deck, comprend Éric.

— Mais... comment ont-elles pu conserver leur empire? s'enquiert Nathan.

— Ah! Ces deux compagnies ont rapidement compris ce qui leur incombait, rétorque le conteur avec un clin d'œil. Pour empêcher la surproduction, elles ont décidé de créer une rareté avec des séries à tirage limité. Par exemple, elles ont lancé des cartes numérotées ou constituées à partir de morceaux d'objets utilisés par les joueurs pendant des matchs... Tous ces détails ont ravivé l'intérêt des collectionneurs, moi le premier! Vous n'avez pas idée combien de temps j'ai consacré à scruter les marchés aux puces ou les rayons des boutiques, dans l'espoir de mettre la main sur l'une d'entre elles! Finalement, il y a eu les cartes recrues, qui à leur tour ont connu leur heure de gloire. Aujourd'hui encore, les compagnies développent de nouvelles stratégies et déploient leur imagination pour nous offrir des spécimens de plus en plus originaux. Mais... les découvrir ne relève plus de moi, maintenant.

À ces mots, le vieux passionné esquisse un triste sourire. La conversation tombe, et pendant un instant, le grand-père et ses petits-fils échangent un regard entendu, comme un pacte silencieux. Oui, les deux cousins relèveront le défi : ils découvriront ces nouvelles raretés et enrichiront leur héritage. Zack sourit.

— Merci, grand-papa, c'était vraiment intéressant ton histoire.

— C'était super *cool*! rajoute Nathan. J'en ai la tête qui bourdonne!

— Ça m'a fait plaisir, les garçons. Ah! Quand je repense à la merveilleuse aventure dans laquelle cette collection nous a entraînés! On dirait que j'ai rajeuni tellement je suis heureux. Qui aurait cru possible de recevoir une visite des héros du Forum ici, à Rocketville!

Soudain, une pensée traverse l'esprit de Nathan. Il se tourne vers son cousin.

— Tu sais, Zack, les fantômes du Forum comptent sur nous maintenant. C'est à nous de prendre la relève. Nous allons devoir travailler très dur... mais qui sait, avec le temps, peut-être que nous deviendrons les prochains Maurice Richard ou Georges Vézina!

— Les fantômes de Rocketville! s'exclame Zack en riant. Wow! Ce serait tellement merveilleux!

— Tout est possible... si on y croit.

TABLE DES MATIÈRES

Danielle Boulianne

Je suis originaire de Chicoutimi et je vis maintenant à Montréal. Je suis mère de deux enfants, Naomi et Zack.

J'ai commencé à écrire des poèmes pour mes parents dès que j'ai su aligner des lettres pour en faire des mots, puis des mots pour en faire des phrases. Je viens d'une famille pour qui la littérature est importante. J'ai d'ailleurs hérité de la passion de ma mère.

Je suis l'auteure de plusieurs romans pour la jeunesse, mais aujourd'hui, je vous présente le troisième roman d'une série pour les amateurs de hockey pour les neuf ans et plus. Zack et son équipement magique vivront d'autres aventures…

Jessie Chrétien

Bonjour à vous, chers lecteurs et lectrices! Je m'appelle Jessie Chrétien et je suis l'illustratrice de ce roman. Pour vous faire une brève présentation, je suis née en 1985 dans le petit village de Gentilly et j'y ai grandi entourée d'arbres et de verdure. D'aussi loin que je me souvienne, j'ai toujours été animée d'une passion incontestable pour les arts. Créant de mes mains, principalement à l'acrylique et à l'encre, je joue avec les couleurs et les ambiances, réalisant des illustrations autant pour les petits que les grands.

Achevé d'imprimer
en avril deux mille quatorze, sur les presses
de l'imprimerie Gauvin, Gatineau, Québec